YO-CCR-467

A RUPTURA DO MEIO AMBIENTE

Leia também:

O Mito da Desterritorialização
ROGÉRIO HAESBAERT

A Condição Urbana
Geografia e Modernidade
PAULO CESAR DA COSTA GOMES

Geografia: Conceito e Temas
INÁ ELIAS DE CASTRO,
PAULO CESAR DA COSTA GOMES &
ROBERTO LOBATO CORRÊA (orgs.)

A Questão Ambiental
Geografia e Meio Ambiente
SANDRA B. DA CUNHA &
ANTONIO J. T. GUERRA (orgs.)

Mudar a Cidade
MARCELO LOPES DE SOUZA

Luís Henrique Ramos de Camargo

A RUPTURA DO MEIO AMBIENTE

CONHECENDO AS MUDANÇAS AMBIENTAIS
DO PLANETA ATRAVÉS DE UMA NOVA
PERCEPÇÃO DA CIÊNCIA:
A GEOGRAFIA DA COMPLEXIDADE

2ª EDIÇÃO

BERTRAND BRASIL

Copyright © 2005, Luís Henrique Ramos de Camargo

Capa: Leonardo Carvalho

Editoração: DFL

2008
Impresso no Brasil
Printed in Brazil

CIP-Brasil. Catalogação-na-fonte
Sindicato Nacional dos Editores de Livros, RJ.

C179r
2ª ed.
	Camargo, Luís Henrique Ramos de
	    A ruptura do meio ambiente: conhecendo as mudanças ambientais do planeta através de uma nova percepção da ciência: a geografia da complexidade / Luís Henrique Ramos de Camargo. – 2ª ed. – Rio de Janeiro: Bertrand Brasil, 2008.
	    240p
	
	    Inclui bibliografia
	    ISBN 978-85-286-1156-4
	
	    1. Mudanças climáticas. 2. Homem – Influência sobre a natureza. 3. Geografia. I. Título.
	
	                                         CDD – 551.6
	                                         CDU – 551.588.7

05-3210	

Todos os direitos reservados pela:
EDITORA BERTRAND BRASIL LTDA.
Rua Argentina, 171 – 1º andar – São Cristóvão
20921-380 – Rio de Janeiro – RJ
Tel.: (0xx21) 2585-2070 – Fax: (0xx21) 2585-2087

Atendemos pelo Reembolso Postal.

"Fé inabalável é somente aquela que pode encarar a razão face a face, em todas as épocas da humanidade."

Hippolyte Léon Denizard Rivail

Aos meus filhos, Tainá e Paulinho, com todo o amor.

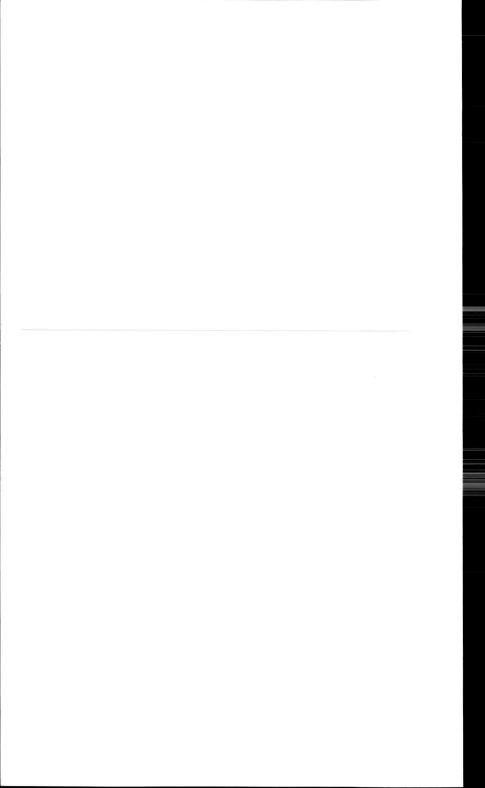

SUMÁRIO

APRESENTAÇÃO

"Uma pequena onda nunca demonstra a sua real grandeza, pois se olharmos com mais carinho seu movimento, que em sua contradição a faz nascer e morrer quase que continuamente, verificaremos que ela pertence a um universo maior, que é o mar, sua totalidade. Ela apenas se apresenta com uma forma que a identifica momentaneamente, pois só se conhece sua essência percebendo-a em meio ao seu todo, o oceano, que é sua verdadeira realidade."

Adaptado da filosofia zen-budista

Como uma sociedade despreparada para o desconhecido enfrenta um fato imprevisível?

Recentemente, temos visto em todo o globo terrestre possíveis indícios de alterações climáticas associadas a novas tendências de aumento de temperatura e ao surgimento de eventos, às vezes catastróficos. Segundo os dados ligados à ciência de plantão, a culpa desses fenômenos relaciona-se à ação humana, que, devido ao seu meio técnico e científico, causaria os graves problemas que têm atingido a humanidade contemporânea.

Dentro desse mesmo raciocínio, o processo produtivo vinculado à ciência clássica tem ampliado continuamente as descargas de dióxido de carbono na atmosfera, causando, a princípio, uma ampliação na quantidade de calor, que ficaria aprisionado na superfície, aumentando, assim, a temperatura e colocando em risco questões seríssimas, como, por exemplo, um possível degelo polar. Para solucionarem esse dilema, os órgãos competentes propõem a urgente redução da emissão dos gases estufa. Mas, e se a dinâmica ambiental for além dessa análise linear causal proposta durante o Protocolo de Kyoto?

Este livro tem como objetivo comprovar que o modelo de ciência clássica, que tem sua gênese associada ao paradigma cartesiano-newtoniano, é ineficaz para responder aos graves problemas que têm afligido a sociedade planetária. E, assim, propõe uma visão sistêmica a partir das teorias surgidas após o advento da mecânica quântica como alternativa analítica à questão.

Para entender essas questões, durante sete anos de pesquisas e, principalmente, de surpresas e espanto, fui aos poucos tentando superar meus preconceitos e aceitar a possibilidade da existência de fenômenos como a imprevisibilidade, o acaso, a interconectividade e a noção de que os processos naturais e sociais encontram-se em constante mutação, propiciada pela sua própria conectividade. E, assim, deparava-me com um novo mundo que superava 300 anos de filosofia cartesiano-newtoniana, sentindo-me como um visitante alienígena observando novas lógicas que se descortinavam aos meus olhos. Como compreender um mundo que em sua essência é interconectado se a sociedade se apresenta fragmentada e segregadora? Como verificar a imprevisibilidade em uma ciência que está pautada na tentativa de controlar o amanhã?

O espetáculo do desconhecido era constante e instigador, sem limites para o que poderia estar por vir, e, assim, fui aos poucos partindo de um mundo determinista, previsível e linear para uma realidade interconectada na qual, por exemplo, na sua essência, o homem não pode fragmentar e dominar em verdade o meio natural, devido à sua grande conectividade. Isso não lhe parece fantástico?

Aplicar à natureza um novo paradigma e encontrar respostas sistêmicas significou ir além da causalidade linear. E, então, perceber uma dinâmica interconectada que envolve processos que vão além do meio natural, pois estão atrelados à sociedade e seus percursos. Dessa forma, para compreender o sentido sistêmico dos problemas ambientais, que envolvem a conexão sociedade-natureza, optei pela análise geográfica, em virtude de essa questão ser ontológica à mesma, o que me permitiu analisar, pela sua bagagem conceitual, diferentes teorias e conceitos que já vinham se desenvolvendo há cerca de 150 anos.

E dentro da imensa bagagem teórica dessa ciência, o conceito de espaço geográfico, desenvolvido por Henri Lefèbvre e particularmente por Milton Santos, trouxe uma grande luz para minhas pesquisas. Esse conceito, se verificado em sua essência, permite a superação dos compêndios cartesiano-newtonianos, que acreditamos serem maléficos para a harmonização necessária de nossa sociedade com o seu meio.

A análise do espaço geográfico reflete a maneira como o meio técnico e científico intermedeia a relação da sociedade com a natureza e, assim, demonstra como se organizam tanto a economia como a cultura, bem como o processo político e ideológico da sociedade. E, dessa maneira, esta análise nos permite tentar entender a essência que envolve a sociedade e os seus processos.

A riqueza das análises propiciadas por essa teoria permeia questões que se atrelam à compreensão das próprias formas geográficas e de suas relações com a sociedade. Assim, torna-se possível compreender, por exemplo, como a técnica hegemônica, e seu conseqüente modelo de desenvolvimento tecnológico, ao se propagar por todo o planeta, estaria na base dos diferentes problemas que estão ligados ao epicentro do debate das relações existentes entre as populações e o meio natural.

A essa questão se relaciona também a maneira como os atuais Estados-nação associam-se a esses modelos de desenvolvimento, subordinando-se normalmente aos seus mecanismos, o que acaba gerando graves problemas ambientais em nome do progresso e do desenvolvimento econômico.

Nesse contexto, o modelo técnico clássico passou a ser um caminho único, no qual nações se tornaram prisioneiras desse Panóptipo foucaultiano,[1] que, apoiado na construção das suas formas geográficas e das suas políticas econômicas, foi levado a se

---

[1] O panóptipo é um tipo de prisão discutido pelo filósofo M. Foucault no livro *Vigiar e punir*.

expandir em cada canto do planeta. O controle técnico, o desenvolvimento de pesquisas e sua transformação em produto final dispuseram-se, assim, sobre toda a Terra, dando função a cada região e país, e, conseqüentemente, criando uma nova visualidade ao espaço geográfico por meio de suas formas.

Porém, ao transformar o processo técnico em uma imposição, quem controla suas pesquisas controla sua hegemonia. Nesse sentido, mesmo apresentando homogeneidade do modelo técnico capitalista, que se dispõe sobre o planeta, diversas disparidades são encontradas nas suas respostas às sociedades locais, onde, por exemplo, algumas regiões apresentam aparato tecnológico de grande magnitude se contrapondo aos inúmeros países que vivem no caos financeiro associado a um baixo nível tecnológico, onde viver é igual a tentar sobreviver.

As condições de existência das sociedades locais acabaram se atrelando ao modo como se organiza o seu aparato tecnológico e assim envolvendo a maneira como essas populações se relacionam com seu meio natural. Nesse sentido, os grupos humanos desenvolveram organizações diferenciadas de seus territórios, em que a natureza, ligando-se aos diferentes interesses, acaba sofrendo muitas das conseqüências das relações que se desenvolvem sobre o espaço geográfico.

Durante uma longa etapa do século XX, mais precisamente nas décadas de 1950 e 1960, um traço marcante das políticas econômicas dos países do Terceiro Mundo era associar a idéia de desenvolvimento ao planejamento de suas políticas. Com esse fator se estabeleceram as bases e as regras de mercado internacionais, ligadas à construção de formas geográficas que garantissem os interesses dos grupos que detinham o poder global capitalista no pós-guerra. O planejamento das formas geográficas representou, assim, a constituição de um modelo técnico e científico sobre a superfície terrestre, dando ao espaço um formato derivado de seus processos e de suas funções específicas. Esse mecanismo apresentou, dessa maneira, o estabelecimento de estruturas que sofreram mutabilidades constantes, à medida que o desenvolvimento tecnológico se expandia na superfície terrestre.

Assim, estando a natureza relacionada diretamente com a técnica, ela recebeu as conseqüências dessas geometrias geográficas, pois as relações de cada sociedade com o seu meio natural herdam o intuito do processo técnico e tecnológico. Logo, se o intuito técnico é prejudicial à natureza, essa sociedade também será. E é por isso que seu processo ideológico herdará as bases dessa proposta.

O imaginário ocidental, a respeito da relação da sociedade com seu meio natural, foi e é componente fundamental para o estabelecimento do atual modelo de uso dos recursos da natureza. Esse fenômeno veio sendo construído a partir das revoluções técnico-científicas dos séculos XVI e XVII, e se estabeleceu como fundamento do paradigma clássico cartesiano-newtoniano. Nesse sentido, o alicerce do sistema capitalista se atrelou a idéias como o determinismo dos ciclos naturais, como a fragmentação da natureza e como o espaço absoluto, entre diversas outras questões que se associaram à acumulação de capital.

O paradigma clássico veio, ao longo dos últimos séculos, desenvolvendo tanto um modelo de técnica como de ciência e, logicamente, de sociedade, que interconectadamente reflete essa vertente da realidade. Por isso, as questões ambientais que inundam os jornais não podem ser analisadas em fragmentos, pois envolvem diferentes aspectos que vão do trato que a população tem com seu meio natural a como, ideologicamente, uma certa sociedade se estrutura.

A estrutura determinista, que, em nossa sociedade, compõe o cerne do processo ideológico dominante, norteia não apenas nossa relação com o meio natural, mas também com a maneira como a complexidade dos processos que vigoram em nosso dia-a-dia é percebida. Nossa concepção de mudança, ao compreendermos os sistemas, remete à idéia de que os sistemas são fechados e cíclicos, logo uma mudança pode até existir, porém, dentro de um certo padrão de comportamento suportável e que não fuja do controle da tecnociência.

E, dentro dessa perspectiva, hoje, questões como o aquecimento global, o efeito estufa, a depleção da camada de ozônio, o acúmulo de lixo tóxico, a perda da biodiversidade, o esgotamento dos recursos naturais não renováveis e diferentes outros problemas ambientais parecem sérias ameaças à vida humana, porém, mesmo esse conjunto de questões, que envolvem o modelo clássico de ciência, não comporta respostas exatas sobre a questão, fragilizando a resposta necessária aos compêndios deterministas a cada dia que um fenômeno novo ocorre.

Recentemente no sul do Brasil, por exemplo, ventos imprevisíveis de grande magnitude, classificados como tufões, arrasaram comunidades e causaram espanto aos cientistas de plantão, bem como na Indonésia ondas gigantescas, conhecidas como tsunamis, causaram milhares de mortes de forma repentina. Mas, mesmo com o acaso e a imprevisibilidade, a ciência normal, aparentemente, não se alardeou com a questão, pois as respostas ao problema se deram sob o ponto de vista dos fenômenos puramente meteorológicos. Não estaria a base desse raciocínio relativamente enclausurada nas nossas crenças e concepções cartesiano-newtonianas, assim como numa série de outros processos que inundam nossa psique e o imaginário social da realidade? Seria correto em um contexto interconectado analisar fragmentadamente os fenômenos e, assim, a realidade? Será, realmente, que esse fenômeno pode ser explicado apenas pela meteorologia, como se os processos climáticos não estivessem relacionados com a totalidade da natureza e também com o próprio sistema Terra?

Este livro tentará comprovar que não, pois a realidade e seus fenômenos não se dimensionam fragmentadamente. Por isso, de forma diferente do que se acreditava no paradigma clássico, não se podem conhecer os fenômenos analisando as partes isoladamente, assim como não se podem também conhecer os processos ambientais sem dimensioná-los dentro da totalidade e, principalmente, sem interconectá-los dialeticamente na sua relação sociedade-natureza.

Nossas pesquisas observaram que os eventos naturais se associam à dinâmica da sociedade, em que cada região geográfica, em suas diferentes características, participa influenciando, interconectadamente, toda a evolução ecológica planetária e, ao mesmo tempo, sendo fruto de uma articulação global, o que traduz na relação sociedade-natureza uma certa intencionalidade decorrente de sua função na economia-mundo.

Em um patamar de relações globalizadas, questões de grave periculosidade e irreversíveis, como o uso de tecnologias inadequadas, como a má administração dos recursos naturais, como a chuva ácida, a desertificação, a erosão, a poluição do ar, as enchentes, o esgotamento dos recursos hídricos e a contaminação radioativa, são reflexos diretos da organização das formas geográficas em cada lugar. E é por isso que cada lugar possui uma resposta ambiental específica que se dimensiona interconectadamente na maneira como cada região trata o seu meio natural e, também, como os fluxos externos se dirigem para esse sistema.

Como cada lugar geográfico é uma associação de elementos que interagem em interconexão, cada qual pode ser analisado como um subsistema componente de um sistema maior, que é a totalidade.

Porém, para se compreender como essa totalidade que interconecta sociedade e natureza pode estar contribuindo com possíveis mudanças ambientais, faz-se necessário reestruturar epistemologicamente a lógica inerente à ciência clássica, rompendo com o processo cíclico determinista e abraçando a idéia da sintropia. Nos processos sintrópicos sempre novas plataformas evolutivas são construídas a partir da interconectividade das variáveis que constituem o sistema em questão; assim, um dia nunca se repete, e a ocorrência de fenômenos ao acaso não é vista como um elemento imprevisível e sem lógica.

Ao expor, por exemplo, essa dinâmica à lógica das diversas eras geológicas, será verificado que uma série de ecologias com combinações atmosféricas diferentes das atuais já existiram, ou seja, não houve repetição dos processos atmosféricos, mas sim mutabilidades dentro da flecha do tempo, em que cada época possuiu uma determinada ecologia e, assim, uma atmosfera específica.

Dessa forma, segundo a análise das combinações ecológicas do passado, a atmosfera atual é um padrão de organização momentâneo e que está em constante possibilidade evolutiva, decorrente do grau de complexidade de suas variáveis internas e de suas relações com os fluxos que migram externamente. Portanto, a atmosfera e toda a ecologia atual nasceram da combinação dos elementos que interagiram no passado, formando a composição atmosférica atual.

Sendo assim, o futuro se constrói, agora, na flecha do tempo, que sintropicamente evolui a partir das diferentes variáveis que se interconectam e fazem o amanhã. Articula-se, então, uma gigantesca teia onde é tecido diariamente o grande sistema Terra a partir de sua interna auto-organização, em que cada parcela da totalidade contribui para a formação do padrão ecológico atual. As variáveis internas da totalidade, que se encontram estruturadas em uma determinada articulação de ordenamento, são assim os elementos que se combinam para dizer quem é o novo e quais serão as suas características.

Associado a isso, os processos de produção e o modo como a sociedade atual se relaciona com o meio natural também participam de forma específica na dinâmica evolutiva. Se um telhado, ao desviar o fluxo das águas das chuvas, pode provocar respostas diferenciadas no mecanismo erosivo quando estas atingirem o solo, então quais as conseqüências de uma grande metrópole emitindo calor e poluentes em uma dinâmica proporcional à globalização e aos seus fluxos espaço-temporais?

A ação humana, sendo vista como um processo interconectado, contribui definitivamente para que os padrões de organização se revolucionem, pois a intervenção do homem envolve a própria dinâmica ambiental de cada lugar. E, se as formas geográficas respondem a um modelo de desenvolvimento, então suas conseqüências são reproduzidas e irão interferir no equilíbrio de cada sistema, pois a essência do ambiente é a busca dinâmica do seu estado de equilíbrio, e, assim, a evolução será uma resposta a essa relação geográfica.

Portanto, cabe à sociedade buscar harmonizar seu ambiente por meio de modelos técnicos e científicos que pensem no homem como um elemento da natureza.

Para discutir mais detalhadamente essas questões, este livro irá se estender por seis partes, que buscam comprovar, a partir das teorias surgidas após o advento da mecânica quântica, que a evolução planetária envolve não apenas a dinâmica natural, mas também a ação da cultura humana sobre a superfície terrestre. Nesse sentido, a organização geográfica de cada lugar reproduz dialeticamente conseqüências espaciais na dinâmica da totalidade.

Assim, visando a ilustrar essa hipótese, a Parte I abordará as teorias e os processos vinculados aos grandes paradigmas que envolvem a relação da sociedade ocidental com sua visão do que é a natureza. Para isso serão analisados conceitos que vão da Idade Média até o advento da mecânica quântica. Em seguida, serão discutidas as teorias posteriores ao surgimento da física quântica. Essas teorias servirão como fonte teórica para as nossas hipóteses. Por fim, essa parte discutirá a importância da integração científica entre o social e o natural.

Na Parte II, intitulada *Meio ambiente ou espaço geográfico?*, será discutido da gênese da ciência geográfica até o surgimento do conceito de espaço geográfico, formulado pelo geógrafo Milton Santos. Essa parte busca, assim, demonstrar que a bagagem conceitual da ciência geográfica está intimamente vinculada com o conceito de meio ambiente, sendo avaliado, nesse sentido, como o conceito de espaço evoluiu no tempo, inicialmente vinculado com a análise newtoniana de espaço absoluto e posteriormente associado com a visão do espaço-tempo cm constante mutabilidade.

Na Parte III objetiva-se inserir a idéia da relatividade do espaço-tempo capitalista, dinamizando o espaço geográfico e reformulando suas paisagens. Já na Parte IV, será debatido como o processo sistêmico aplicado ao espaço geográfico propicia a criação de novos sistemas dinâmicos. Essa parte irá, também, discutir as diferentes possibilidades de respostas aos processos sistêmicos.

A Parte V fará uma pausa no desenvolvimento contínuo do debate, para reconstruir a questão das transformações do meio natural, mediante a análise da evolução ecológica do planeta aplicada às teorias discutidas neste livro. Essa questão verificará que o registro científico de diferentes ecologias atravessou as eras e os períodos geológicos, demonstrando que as etapas naturais alternaram padrões e combinações atmosféricas diferentes, e que nossa espécie nada mais é do que um habitante momentâneo dessa trajetória, ou seja, as diferentes etapas geológicas e suas respectivas ecologias não ocorreram dentro da lógica cíclica pensada por Newton e Laplace. O objetivo desse debate inicial é aplicá-lo à hipótese da integração interconectada que o meio natural e a sociedade possuem na evolução ecológica do planeta mediante a análise da questão das mudanças climáticas.

A Parte VI irá discutir a evolução conjunta do planeta por meio da análise geográfica espacial, em que as teorias da geografia da complexidade dimensionam o processo evolutivo. Ainda nessa parte, serão sugeridos como alternativa ao modelo técnico-científico clássico modelos alternativos de desenvolvimento que possibilitem harmonizar a evolução, transgredindo os possíveis rumos que se atrelam à mudança dos padrões ecológicos.

Por fim, a conclusão irá fornecer ao leitor uma síntese dialética do que foi debatido, acompanhada de sugestões para um mundo mais harmônico, que possam ser aplicadas ao espaço a partir da bagagem conceitual da geografia da complexidade.

PARTE I

Principais visões ocidentais da natureza

"Impelidos pela força do amor, os fragmentos do mundo buscam-se uns aos outros para que o mundo possa vir a existir."

Teilhard de Chardin*

---

* CHARDIN, Teilhard de. *In:* RUSSELL, Peter. *O despertar da Terra: o cérebro global.* 10ª ed. São Paulo: Cultrix, 1982, pp. 65 a 304.

Construir o conceito do que é a realidade significa buscar na teoria a idéia fixa do que pretende ser concreto. No caso da criação do conceito de meio ambiente, esse processo está intimamente ligado à maneira como cada etapa da humanidade verifica essa questão, pois cada época e cada sociedade possuem um conjunto de verdades que dimensionam sua realidade.

Em nossos dias, mesmo com o advento da mecânica quântica garantindo o surgimento do acaso, da incerteza, da imprevisibilidade e da interconectividade como um processo lógico, a ciência clássica e sua racionalidade ainda associam-se ao nosso referencial da verdade. Nossa percepção da natureza envolve-se diretamente com a herança cartesiano-newtoniana e com sua ideologia propagada pelo Iluminismo e pelo Positivismo, e que interagiu, nos últimos séculos, tanto com o imaginário popular como com o método científico.

Se hoje temos certezas em relação ao clima e suas características é porque cientificamente acreditamos dominar suas propriedades dentro de um patamar lógico e supostamente racional; assim, para nós, na época do verão fará calor e no inverno sempre fará frio.

O determinismo físico, que dá à natureza e à sociedade a idéia de que os seus processos são eternamente reversíveis e lineares, traduz-se no meio natural associado à concepção de que o mesmo é preciso e, assim, previsível, conhecido, palpável e dominável pelo homem moderno por meio de sua ciência. Vivemos a certeza e sabemos quando e como os fatos ocorrerão; por isso, planejamos, organizamos e acreditamos no amanhã como um mecanismo linear, preciso e que não foge ao domínio humano.

A dinâmica da aceitação da natureza como um processo eternamente reversível foi acompanhada de outros fatores, como a externalidade e a fragmentação do homem em relação ao meio ambiente. Esse contexto, que habita o conceito social da natureza e que em sua dialética associou-se ao desenvolvimento do sistema capitalista, garantiu a transformação do ambiente em mercadoria calçado no ideal da maximização do lucro. Por isso, a aceleração competitiva capitalista associou-se diretamente com a ampliação da utilização do meio natural, transformando-o em bem econômico.

Dentro da lógica da acumulação do capital, ver a natureza como um conjunto de objetos que não possuem criatividade, sendo reversíveis, imutáveis e inertes, corrobora com a ideologia de que a natureza é uma fonte inesgotável de recursos. Essa visão garante o lucro e a permanência de uma parcela da humanidade, que adquire e consome bens e recursos, embriagada pela ilusão do poder e da ganância. Com isso, estando o homem desassociado do meio natural, ou seja, não sendo integrado ao mesmo, seu domínio se torna mais fácil e aceitável.

Engerls (1979), em seu livro *A dialética da natureza*, considera a externalidade do homem em relação ao seu meio natural uma concepção burguesa, o que leva a sociedade a prender-se pura e simplesmente à visão do meio natural como um fato necessário para a obtenção tanto do lucro como do progresso necessário para o desenvolvimento, algo imprescindível para a melhoria humana. Entendendo esse mecanismo, verifica-se como há uma dialética que também envolve o capitalismo e sua essência com o domínio da natureza, o que necessariamente precisa ter a sua externalidade como norma e verdade.

Por isso, Engerls (1979) vê a externalidade como um processo que impede a verdadeira relação dialética que envolve o homem e o meio natural. Para o autor, a "dialética da natureza" não advém senão da interação metabólica das sociedades humanas com a natureza, uma relação que está além da subserviência do meio natural aos interesses do capital. Nesse sentido, o que é natural se humaniza, e vice-versa.

Porém, é certo que a construção do conceito de natureza não se prende apenas à apropriação capitalista da idéia de natureza, e que se associou à ciência normal. Pois o conceito de natureza alterna diferentes maneiras de se ver e se perceber o meio natural, tendo a construção desse complexo processo atravessado as diferentes escalas de percepção e de visão humana sobre a realidade. Smith (1988), por exemplo, nos fala de como nossa percepção da natureza mescla uma grande complexidade de fatores muitas vezes contraditórios, pois se torna material e espiritual, sendo dada e feita, pura e imaculada; a natureza é ordem e desordem, sublime e secular, dominada e vitoriosa, ela é a totalidade e uma série de partes, mulher e objeto, organismo e máquina. A natureza é um dom de Deus e é um produto de sua própria evolução; é uma história universal à parte, e é também o produto da história, acidental e planejada.

Dentro dessa dualidade que contorna nosso imaginário, para Smith (1988), se percebemos a natureza como algo externo à nossa existência, sabemos que a mesma também é criada por Deus em sua essência primitiva, e por isso deve ser protegida, mas que, porém, é a matéria-prima da qual a própria sociedade é construída, elemento crucial do nosso desenvolvimento.

E se realmente existem duas ou mais concepções de natureza – a que habita nosso imaginário, dimensionada pela percepção cartesiano-newtoniana e pela leitura capitalista da realidade, e uma outra que nasce dos fragmentos de leituras religiosas e históricas do meio natural –, então esse dualismo é meramente epistemológico e não ontológico. O conceito de natureza é um produto social. E, sendo ou não exterior, o fato da exterioridade da natureza é o bastante para legitimar a dominação da mesma. Essa concepção torna-se assim um processo ideológico (Smith, 1988).

Por isso, Smith lembra que nosso imaginário da realidade, preso à concepção burguesa, cria e dinamiza várias ideologias, em que fatos como a imutabilidade da natureza, a discriminação sexual, o racismo, o lucro, a existência de ricos e de despossuídos e outros fatores são processos naturais e inquestionáveis, assim como o sistema capitalista e suas bases estruturais são considerados o caminho natural para o bem-estar da humanidade.

Dominar é a questão, ser o senhor e dono do destino, manipular por meio da técnica o amanhã, esse é o sonho do homem contemporâneo. E como a reversibilidade do meio natural é a essência, o fato de termos problemas ambientais é visto como um processo momentâneo, que se instala e pode ser vencido com a tecnociência.

Mas e se a dinâmica ambiental envolver algo maior do que a ciência clássica possa compreender? E se o advento de novos paradigmas da natureza demonstrar que os fenômenos ambientais ocorrem interconectadamente, a partir de seu processo sistêmico, e não fragmentados, como pensa a ciência atual?

É por isso que o problema não está apenas na depredação dos recursos naturais, mas, também, e de forma dialética, em como nossa lógica está alicerçada, ou seja, como a subjetividade da nossa visão do meio natural retrata uma série de preconceitos e de processos ligados à nossa prática científica. A questão é: se pensarmos o meio natural como um conjunto formado por elementos que podem ser vistos isoladamente, sem interconectividade e interdependência, não perceberemos as reais possibilidades existentes na natureza. Um elemento isolado apenas participa e não integra. Em uma situação de depredação ambiental, por exemplo, o processo é analisado isoladamente, cortado de sua verdade, dos seus fluxos sistêmicos, apresentando distância do seu todo.

Objetivando ampliar seu conhecimento a respeito desse processo e criar as bases estruturais para futuros debates, esta parte visa a discutir como o conceito de natureza foi sendo percebido pelos últimos grandes paradigmas, que vão desde a Idade Média até o advento da mecânica quântica.

1. Concepção de natureza na Idade Média

A concepção ideológica da Idade Média associava-se diretamente aos postulados teológicos que surgiram inicialmente com Santo Agostinho (354-430), que, a partir dos princípios estóicos, gnósticos, maniqueus e neoplatônicos, criou a fundamentação da fé cristã. Mais tarde, no século XIII, Tomás de Aquino (1225-1323) completaria essa jornada filosófica ao associar os postulados aristotélicos à concepção cristã de realidade. Por isso, a lógica do que era natureza era própria e dimensionava-se a partir da ideologia cristã.

Os fundamentos lógicos de Tomás de Aquino, nascidos da alteração dos princípios aristotélicos associados à ideologia cristã de então, representaram um processo político de manutenção do poder para a Igreja, já que a mesma sentia-se ameaçada pelo crescente movimento dos chamados dialéticos. Os dialéticos eram constituídos por parcela da nobreza que, em contato com o Oriente, devido às Cruzadas, encantou-se com os ensinamentos aristotélicos.[2] Cabia a Tomás de Aquino trazer de volta ao rebanho essa parcela da população que incomodava os poderosos de então.

---

[2] Alexandre Magno, que conquistou parte do Oriente, fora discípulo de Aristóteles, e, enquanto a Europa prendia-se a um relativo obscurecimento cultural durante a Idade Média, o Oriente desenvolvera grande conhecimento a partir dos princípios aristotélicos levados por Alexandre.

Dentro dessa lógica e a partir da concepção cosmológica aristotélica, nasce a ciência e a cosmologia da Idade Média.

A cosmologia medieval era geocêntrica, o que representava a perfeição divina do universo criado por Deus para servir ao homem, onde as estrelas descreviam movimentos perfeitos e o Cosmos era sólido, estacionário, finito e esférico. Nessa cosmologia, as estrelas passavam a uma eqüidistância da Terra, pois a abóbada celeste fixava as estrelas do universo, o qual era dividido em duas áreas: a zona celestial (supralunar) e a zona terrestre (sublunar) (Pepper, 1996).

Devido à sua perfeição, os corpos celestes se moviam em órbitas em torno da Terra, com velocidades constantes. Mas, nas regiões terrestres, as coisas, por serem imperfeitas, se moviam ao acaso ou em linhas retas; contudo, isso não acontecia com os corpos celestes, que não mudavam devido à sua perfeição, pois eles representavam a idéia da manifestação divina, descrevendo, assim, órbitas imutáveis e sempre circulares. Os medievais, sob a influência do poder da Igreja, acreditavam que o movimento dos astros era circular e perfeito, pois a zona celeste era a própria essência da Divindade. Sendo assim, na zona supralunar tudo era geometricamente perfeito, pois reproduzia a natureza de Deus. Como na zona celestial tudo era perfeito e imutável, cabia ao homem obedecer aos desígnios de Deus, seguindo, assim, a vontade divina (Pepper, 1996).

Por sua vez, Aristóteles (384 a.C.-322 a.C.) atribuía a "ordem" no universo a um primeiro motor, que era a causa inicial de todo o movimento. Ele não aceitava a idéia do transformismo universal dos pré-socráticos, que apresentava todo o universo como animado por um fluxo único que interligava todas as espécies em um mesmo processo evolutivo. Aristóteles acreditava que qualquer movimento na natureza e no universo ocorria de forma independente, determinado pela ação metafísica, condicionando tudo na Terra. Assim, chamava o universo metafísico de ordem primeira, e o mundo físico, de ordem segunda (Aristóteles, 1978; Rosset, 1989).

Por isso, o deus grego, de forma diferente do deus cristão, era uma força cósmica racional, impessoal e autocontemplativa. Era considerado tão perfeito que não se relacionava diretamente com o nosso mundo, pairando acima do universo, movendo-o como causa final, assim como o ímã atrai o ferro (Chauí, 1994).

A metafísica cristã, por sua vez, ao adaptar a metafísica aristotélica, criou um deus pessoal, vingativo e que se manifestava através do meio natural, em que a natureza confundia-se com a própria mente divina. Trovões, pestes, inundações eram o desígnio divino da ordem primeira inquestionável, pois a física era a própria teologia.

Sendo a metafísica a causa primeira e o primeiro motor, as coisas se transformavam porque buscavam a essência total perfeita e imutável, como a própria essência divina; por isso, a causa era o próprio fim (São Tomás de Aquino, 1996).

A Terra era vista como um organismo vivo. Os fluidos do corpo, como a saliva e o sangue, eram comparados aos rios, mares e lagoas. Percebido como uma força viva, receptiva e que nutria o homem e seus desejos, o meio natural era ontologicamente fêmea, a Mãe Natureza (Merchant, 1992).

As minas de ferro, cobre, carvão e as demais eram comparadas a vaginas por onde passavam os elementos minerais que saíam do "útero" do planeta. A extração demasiada de minerais era assim como mutilar o próprio corpo da mãe terra; cortar árvores em demasia era como cortar os seus cabelos (Merchant, 1992).

No paradigma aristotélico-tomista, nada poderia acontecer senão pelas "mãos" divinas que traçavam os destinos e legislavam sobre todas as coisas. O homem medieval via no céu o firmamento onde habitavam as entidades divinas – anjos, arcanjos e Deus. Os ciclos naturais, o movimento, as mudanças em todo o meio natural seriam provocados intencionalmente por uma inteligência superior que regulava e ordenava a finalidade de todas as coisas. No mundo medieval, Deus era a própria natureza em sua essência. Os segredos do ambiente eram segredos de Deus e do sagrado. Bruxarias, feitiços e vinganças divinas eram as causas de fenômenos que o homem desprovido da fé não conseguia compreender. A fé seria algo incontestável e absoluto, servindo aos interesses da Igreja e dos poderosos de então. Tomás de Aquino observava que "para conhecer é preciso, antes, crer". É a essência divina apropriada pelo poder ao serviço dos poderosos (São Tomás de Aquino, 1996).

1.1. Da Idade Média para a natureza racional contemporânea

No século XVI, a estrutura feudal rompe-se com a consolidação do modo de produção capitalista (Huberman, 1986; Merchant, 1992). Paralelamente ao advento do capitalismo e às novas visões da realidade, a antiga visão animista teológica do universo também vai paulatinamente sendo repensada e substituída por uma nova percepção da natureza, que atendia aos interesses do nascente modo de produção europeu (Deus, 1979).

Nas cidades da Renascença italiana e no norte da Europa, onde se davam as principais relações da nova dinâmica produtiva, ainda se vivia com a idéia da Terra como um ser composto de alma e seguindo os desígnios divinos (Merchant, 1992). Somente com o advento e a confirmação da revolução técnico-científica dos séculos XVI e XVII é que a mudança da visão de meio natural se dinamizou (Lenoble, 1969; Merchant, 1992).

A alteração da relação do homem com a natureza vai se consolidando à medida que se amplia o comércio e, conseqüentemente, surge uma nova dinâmica espacial-geográfica. Essa nova estrutura produtiva e organizacional, que nasce com o capitalismo, vai redimensionando não somente a base para a produção de

36

riquezas, mas, principalmente, a ideologia e a concepção popular da ciência e do universo.

A economia medieval tinha suas bases econômicas fixadas, sobretudo, em recursos orgânicos e renováveis, como a madeira, a água, o vento e a força de tração animal. A economia capitalista, por sua vez, baseia-se em recursos energéticos não renováveis e em metais inorgânicos, como o aço, o ferro, a prata, o ouro e o mercúrio.

Assim, o novo modelo de produção traria uma concepção de realidade diferente, além de se estruturar em um patamar inédito em relação ao meio natural. A natureza agora era elemento imprescindível *para* a obtenção dos lucros e para a evolução competitiva dos nascidos Estados nacionais.

No campo das ciências, Moreira (1993) observa que um ponto de grande magnitude fora o advento da revolução trazida pela teoria do polonês Nicolau Copérnico (1473-1543). A teoria heliocêntrica defendia a idéia de que a Terra, assim como os outros planetas, girava ao redor do Sol (Asimov, 1990).

A Teoria de Copérnico e a Teoria de Kepler (1571-1630), mostrando que o movimento dos planetas não era o de uma esfera perfeita e, sim, uma órbita elíptica, tornam-se um golpe fundamental na estrutura escolástica medieval, pois, além de comprovarem que a Terra não se situava no centro do universo, davam um "banho de água fria" na imagem do universo divino e perfeito, em que o movimento dos astros era esférico, rompendo de vez com a cosmologia medieval (Rossi, 1989; Moreira, 1993).

O astrônomo Nicolau Copérnico (1473-1543), em 1507, recuperou a Teoria de Aristarco (280 a.C.), que afirmava que os planetas, incluindo a Terra, giravam em torno do Sol, e, mantendo a tradição grega, que os planetas descreviam órbitas em torno do Sol, perfazendo círculos e muitas combinações de círculos ao seu redor, executando movimentos cada vez mais complexos. Isso foi possível porque, de forma diferente dos gregos, Copérnico colocou o Sol, e não a Terra, no centro do universo, e manteve as órbitas circulares (Asimov, 1990).

Por sua vez, Johannes Kepler (1571-1630), partindo das medições sobre Marte feitas por Tycho Brahe em 1572, após sua morte, desenvolveu a idéia de que as órbitas não eram circulares, e sim que os planetas desenvolviam trajetos em elipses (Asimov, 1990).

A apropriação desse tipo de idéia não acompanhava obrigatoriamente o desejo do sistema econômico nascido. Muitos, como Giordano Bruno, pagaram com a própria vida por essas heresias; porém, de forma dialética e aos poucos, essa nova concepção de realidade passou a ser fundamental na estruturação dos novos tempos e na constituição da lógica capitalista.

Por isso, na criação do novo paradigma que envolve a sociedade e sua relação com o meio natural, Galileu (1564-1642) exerceu um papel fundamental, quando, pela primeira vez, utilizou-se da matematização de forma empírica na natureza. Segundo Rossi (1989), com Galileu, a tradição das práticas artesãs se fundiu ao conhecimento teórico, à mecânica empírica e à ciência do movimento. Nesse caso, o homem, utilizando-se de uma ferramenta lógica, a matemática, conseguiu explicar a natureza e sua dinâmica. Pense que até então o silogismo aristotélico, portanto, as conjecturações filosóficas medievais, era o fundamento lógico. Galileu, que passou a maior parte de sua vida lutando para efetivar a matemática como lógica, pôde assim explicar de forma científica os fenômenos naturais.

Dentro da grande lógica capitalista destaca-se o nome do então chanceler de Jaime I, Francis Bacon (1561-1626). Para ele, sua função seria tornar a Inglaterra uma grande potência em face das outras nações; assim, tratou de desassociar a natureza da idéia de sujeito contemplativo e divino, tornando-a um objeto que deveria servir ao desenvolvimento do comércio e ao efetivo progresso de sua nação.

Seu principal livro fora *Novum Organum*, no qual propôs uma nova ciência que pretendia dominar o meio natural e que fugia da ideologia escolástica. O livro de Bacon é uma rejeição do saber tradicional, que para ele é estéril e baseado em noções vulgares. Bacon busca uma nova ciência que possa penetrar nos "mistérios da natureza" (Rossi, 1989) e escreve: "Ciência e poder do homem coincidem, uma vez que, sendo a causa ignorada, frustra-se o efeito, pois a Natureza não se vence, senão quando se lhe obedece" (Bacon, 1979).

Para a consolidação de seu projeto, Bacon propôs o método empírico indutivo, que se baseava em uma minuciosa observação atenta e isolada dos fenômenos por meio da sua experimentação contínua, provocando a repetição exaustiva do que se buscava até alcançar a profundidade do que se pretendia. Para Bacon, a natureza seria expressa nos seus experimentos na sua forma real, eliminando as suposições ligadas aos sentidos, em que a idéia de progresso seria contínua (Moreira, 1993; Rossi, 1989). Segundo Nisbert (1985), "Bacon tentava provar a ciência de que a progressão temporal levaria ao aprimoramento humano e social". Nesse intuito, o capitalismo inglês teria destaque e sairia à frente de seus concorrentes.

Outros dois livros serão fundamentais para a estruturação de um novo método científico, que irá influenciar a ciência até os nossos dias e consolidar o domínio da natureza: *O discurso do método,* de René Descartes (1596-1650), e *Princípios matemáticos da filosofia natural,* de Isaac Newton (1642-1727).

Descartes (1987) concebia a racionalidade como a essência da verdade; rejeitar como absolutamente falso tudo aquilo em que pudesse haver a menor dúvida, a fim de que restasse apenas o que fosse inteiramente verdadeiro. Essa seria a base do seu método, que traria em si a fragmentação, a matematização e a mecanização da natureza como proposta para a compreensão do universo (Capra, 1982).

A razão, então, traria ao homem uma certeza: se a natureza não sofre, não chora e não se manifesta, então também não pensa, logo não existe como um ser animado, provido de sensibilidade e sentimentos (Ferry, 1994).

Respaldado em sua razão e no mecanicismo, que era considerado a mais nobre das ciências em sua época (Rossi, 1989), Descartes via o universo como um grande mecanismo organizado e sincrônico, em que cada "peça" dessa engrenagem exercia uma função determinada (Lenoble, 1969; Rossi, 1989; Merchant, 1992; Moreira, 1993).

Porém, é com o físico inglês Isaac Newton que a nova visão da natureza se consagra. Newton integra o empirismo de Bacon à razão de Descartes e ao mecanicismo. Outro fator de relevância para Newton fora a reunião da astronomia copernicano-kepliana às leis do movimento de Galileu (Szamosi, 1988). Assim, Newton, em 1687, utilizando-se da matematização da natureza, que surge com a queda livre desenvolvida por Galileu em 1589, aliada à idéia do universo e do movimento de Kepler e Copérnico, criou a lei da gravitação universal, a partir da integração dessas leis e teorias (Szamosi, 1988; Asimov, 1990).

Utilizando-se dos conceitos mecanicistas, associado à nova lógica do universo, Newton postulou que todo movimento que havia no universo era semelhante à sincronia existente no interior de uma grande máquina. As partes internas desse mecanismo, ou as engrenagens, seriam compostas de pequenas bolas sólidas, as quais chamou de átomos, que, por sua vez, seriam o menor constituinte da matéria.

O "palco" do universo newtoniano, no qual ocorrem todos os fenômenos físicos, seria absoluto e imutável, permanecendo sempre em repouso, não havendo, assim, qualquer modificação ou criatividade da natureza. As pequenas partículas materiais que seguiam as leis do movimento mecânico seriam indivisíveis, podendo colidir entre si, atraindo-se e repelindo-se umas às outras, pois ocupavam espaços distintos no universo (Zohar, 1990).

Para se encontrar a localização de um átomo, ou de um objeto, dentro do espaço tridimensional cartesiano, seria necessário estabelecer, através da utilização matemática, suas coordenadas. Assim, projetando a idéia tridimensional do comprimento, da largura e da profundidade, visualizava-se o deslocamento dessas pequenas "bolinhas de gude" dentro do espaço. A partir dessa concepção, seria possível prever os fatos, e para que isso ocorresse precisava-se apenas conhecer a causa inicial que impulsionara tal evento (Zohar, 1990).

No desenvolvimento da "linguagem" do seu novo método, segundo o físico David Bohm (1980), Newton, ao utilizar as coordenadas cartesianas, buscou algo que significasse a própria ordenação. Newton conseguiu, assim, encadear apropriadamente a concepção mecânica do universo linear e sincrônico. Desse modo, acabou ordenando também o pensamento e a percepção de meio natural atual (Bohm, 1980).

Ainda para Newton, em 1687, qualquer sistema em rotação no espaço absoluto sofria forças inerciais em conseqüência de sua gravidade (Ray, 1993). Essa nova idéia contrapunha-se à idéia de movimento estabelecida por Descartes (1596-1650), que dominava sua época. Para Descartes, as interações materiais se dariam por contato. Newton trazia a idéia de gravidade, permitindo, assim, que os objetos fossem influenciados a distância, sem serem percebidos como algo metafísico, como supunha Aristóteles e muitos outros (Newton, 1987).

A lei do movimento relacionada à gravidade torna-se uma lei universal e tem equivalência para todo o universo. Esse movimento ocorre, então, em um espaço que não participa do fato, em que Ray (1993) explica sua lógica: "não podemos explicar a presença de forças inerciais sem uma referência essencial ao espaço em si." Nesse sentido, o espaço pode ser considerado absoluto – é um elemento irredutível na descrição física da matéria e das forças, pois, para Newton, o movimento é uma relação entre dois objetos: quando um desses objetos é o espaço em si, o movimento é absoluto (Davies, 1999).

A nova descrição racional do movimento "enterrou" definitivamente as teorias escolásticas nas quais Deus seria a causa e razão inicial de todos os movimentos no universo. Newton demonstrava, por meio da linguagem e da certeza matemática, que na natureza não havia nada que pudesse ocorrer sem que o homem não pudesse conhecer e explicar cientificamente. Como ele mesmo descreve em seu clássico livro *Princípios matemáticos da filosofia natural* (1987):

> "Não se hão de admitir mais causas naturais do que as que sejam verdadeiras e, ao mesmo tempo, bastem para explicar os fenômenos de tudo. A natureza, com efeito, é simples e não se serve do luxo de causas supérfluas das coisas" (Newton, 1987, p. 166).

Como na concepção newtoniana tudo o que acontecia tinha causa definida, gerando também um efeito definido, cada detalhe do movimento de um objeto no futuro seria matematicamente previsível. A coerência obtida por Newton em conhecer a "lógica" do deslocamento dos objetos seria facilmente utilizada como modelo para a compreensão de todo o universo. Assim, todas as ações feitas nele seguiam a previsibilidade inerente à própria organização da grande máquina universal, em que tudo permanecia ordenado: as galáxias, os planetas e as estrelas.

Em todo o universo, haveria então milhões de átomos sólidos que seguiam três leis básicas do movimento. Essas leis, por sua vez, estariam subordinadas à gravidade, que funcionaria como um grande "puxão" que ordenava tudo. Tudo e todos seguiam um fluxo constante e imutável (Newton, 1987).

Desde então, com o passar dos séculos, esse modelo de ciência vai criando uma relação de absoluta externalidade. Nesses séculos, muitas mudanças vão sendo incorporadas e dialeticamente difundirão esses ideais, padronizando na expansão capitalista um ideário de realidade que associa o mecanicismo à fragmentação e à imutabilidade natural e social, mesmo que empiricamente ambos não se comportem assim.

Esse processo gera, assim, diferentes formas de conseqüências, como, por exemplo, o utilitarismo e o consumismo como base da reprodução do capital, a partir da exploração dos recursos naturais. Esse sintagma surge associado ao ideal iluminista e ao projeto positivista. O grande projeto iluminista em construir uma sociedade baseada na razão, o qual possuía como pilar a liberdade do pensamento e o progresso, estruturou-se na certeza matemática newtoniana. Voltaire, em 1738, publicou *Elementos da filosofia de Newton*, no qual defendeu o conceito de verdade, a partir dos postulados newtonianos. Com esse ideal, a certeza de um universo matematicamente explicável garantiria o novo projeto de uma sociedade padronizada pelo saber e pela exatidão (Voltaire, 1996).

Posteriormente, o positivismo assenta seus postulados na coisificação física e biológica das partes que compõem o mundo, uniformizando as diversidades e criando um projeto que garanta uma natureza ao alcance permanente de seu controle e domínio: é a física social de Auguste Comte (Moreira, 1993).

Assim, o utilitarismo econômico, em nome do progresso, faz da natureza sua fonte de recursos, em que a idéia de extinção, ou mesmo de recursos esgotáveis, é substituída pelo ideal de que o progresso, aliado da ciência burguesa, seria a solução para todos os problemas da humanidade (Smith, 1988; Rossi, 1989).

O capitalismo acaba, portanto, legitimando o consumismo, a partir de sua inerente ótica de dominação do meio natural. Horkheimer (1976) já observava que a história do homem em subjugar a natureza é a própria história da subjugação do homem pelo próprio homem.

2. As novas teorias da natureza

A descoberta da mecânica quântica, em 1905, por Max Planck, deu início a uma grande mudança de conceitos que revolucionou a ciência no século XX. Nesse novo nível de percepção, a compreensão da realidade física vem sendo transformada à medida que os novos conceitos atravessam a barreira disciplinar, alterando os paradigmas vigentes.

Na estruturação científica dessa revolução, inserem-se várias descobertas que demoliram noções nascidas no seio da física clássica. Por exemplo, no mundo subatômico, aquilo que imaginávamos como sólido dissolvia-se em energia e era indivisível e integrado por interconectividade ao maior elemento do universo. Nesse nível de compreensão, dissipam-se no ar todas as noções de partes separadas. Em todo o universo não existe nada isolado, fragmentado (Bohm, 1980).

A descoberta do aspecto dual da matéria e do papel fundamental da probabilidade trouxe a incerteza e o acaso para o debate conceitual das ciências. Conseqüentemente, o antigo conceito da ordem determinista vem sendo questionado, o que gera a busca de novas epistemologias em variados campos disciplinares, objetivando adaptar suas disciplinas a essa novidade.

Em 1959, Heinz von Foerster formulou o princípio *order from noise*, que se opunha ao princípio clássico *order from order*. Essa nova ótica respalda-se na incerteza quântica, que mostrou ao mundo a desordem como mecanismo da natureza microscópica. Von Foerster sugere que a ordem própria da auto-organização constrói-se com a desordem: é o *order from noise principle* (Morin, 1998).

Morin (1977) observa que a (des)ordem microscópica parece similar à (des)ordem macroscópica, em que encontramos uma nova hierarquia do microtecido de todas as coisas. Essa desordem microscópica não remete à idéia comum de confusão e de anarquia hierárquica, e que nos lembra o segundo princípio da termodinâmica. A desordem é orgânica e necessariamente parte da *physis*, compondo a ordem e a desordem universal.

Sendo assim, a mesma não é uma entidade em si, e sim uma relação de processos energéticos, transformadores ou dispersivos que orientam e modificam a forma de interação da ordem, em que pode existir a busca de organização na desordem c ordem na desordem, originando a desordem organizadora.

A termodinâmica desenvolvida por Prigogine (1996), a partir de seu princípio da sintropia nascida das estruturas dissipativas, demonstra que não há necessariamente uma exclusão quando ocorre a desordem em um fluxo sistêmico, e sim uma integração, em que a desorganização de um sistema pode trazer um novo patamar de organização da totalidade em uma nova ordem. O exemplo dos turbilhões de Bérnard vem demonstrar experimentalmente que fluxos calóricos, em condições de flutuações e de instabilidade, ou seja, de desordem, podem transformar-se espontaneamcnte em "estruturas" ou formas organizadas, como comenta Morin (1977): "portanto, é possível explorar a idéia de um universo que constitui a sua ordem e a sua organização na turbulência, na instabilidade, no desvio, na improvisação e na dissipação energética."

Na compreensão do novo princípio da desordem, não como oposição à ordem, estão vários elementos que fazem parte da nova compreensão da realidade física. Entre eles estão as interações, o acaso, a turbulência, as estruturas dissipativas, o caos, a auto-organização e toda a nova compreensão do universo interconectado microscopicamente.

2.1. O reencontro do homem com a natureza – o surgimento da física quântica

A descoberta da emissão dos pacotes quânticos de energia teve sua origem histórica atrelada a um passado de inúmeras hipóteses relacionadas à transmissão do calor. Desde que o homem percebeu que o Sol aquecia a superfície da Terra, ou mesmo que ele podia, a partir de técnicas, gerar calor, esse tema, ou seja, como o calor se expandia foi assunto duvidoso.

Acreditava-se que as causas da transmissão de calor relacionavam-se a questões divinas, ou então a partir da geração provocada pelo homem. Porém, no século XIX, observou-se que a transmissão de calor ocorria sem qualquer meio intermediário. Nesse período, apropriando-se do desenvolvimento da ciência de sua época, Kirchhoff estabeleceu uma nova lei, que representava a relação entre o poder absorvente de um corpo negro[3] e a emissão de calor. Essa teoria foi fundamental para se compreender que um corpo negro era capaz de absorver energia, pois só assim a ciência evoluiu nos rumos do conhecimento da condução do calor (Gilbert, 1982).

O avanço das pesquisas científicas que levaram ao surgimento da mecânica quântica foi, então, subseqüente ao conhecimento do corpo negro. Assim, em 1900, o físico Max Karl Ludwig Planck propôs uma equação que afirmava que a energia térmica

---

[3] O físico Max Born assim define um corpo negro: "Dá-se o nome de corpo negro a um corpo cujo poder de absorção seja igual à unidade, isto é, a um corpo que absorva a totalidade da energia radiante que nele incide." (Born, 1969)

não fluía de forma contínua, como acreditava a mecânica newtoniana, mas em pacotes de energia. Planck chamou essa tendência da luz de energia quântica. A hipótese dos quanta observava que um quanta de luz tinha a habilidade de retirar dos átomos alguns elétrons, de modo que essas partículas podiam "tomar emprestado" a energia dos quanta (Asimov, 1990). Planck demonstrou que tanto a luz quanto outras ondas não podiam ser emitidas de forma arbitrária, porém em determinadas quantidades de energia (Hawking, 1988).

Contrariando a noção linear newtoniana que se tinha das partículas, a hipótese quântica trazia uma certa descontinuidade para a concepção da ciência clássica. Planck defrontou-se então com um rígido ceticismo sobre a sua teoria. Para grande parcela dos cientistas de sua época, a teoria dos quanta não passava de um simples cálculo matemático que era usado para dar conta do que Kirchhoff havia desenvolvido sobre a radiação do corpo negro em 1860 (Salem, 1988).

Essa desconfiança relacionava-se não apenas a um problema da ciência, mas a todo um leque de alterações da realidade e à maneira como a sociedade e a ciência percebem-na. É certo que o progresso científico-tecnológico conquistado no século XIX gerava nos cientistas a certeza de que a mecânica newtoniana seria a única maneira possível de se fazer ciência. Assim, não havia por que as novas descobertas fugirem do campo dos modelos cartesiano-newtonianos (Tavares, 1988).

A descrença no que postulou Planck só começou a ser superada cinco anos mais tarde, a partir das pesquisas desenvolvidas por Albert Einstein a respeito do efeito fotoelétrico, e que confirmava a validade da teoria quântica. A análise de Einstein encontrou conseqüências diretas para a ciência, representando o grande passo dado para a ruptura do paradigma mecanicista, pois, em primeiro lugar, após uma longa jornada, que começara em 1887 com Hertz, sua teoria explicava completamente o efeito fotoelétrico. E, em segundo lugar, demonstrava de forma legítima que a teoria dos quanta era válida. E, por último, demonstrava que a luz pode travar-se em certos aspectos, como as partículas de Newton e as ondas de Huggens. Era a incerteza de Heisenberg[4] (Asimov, 1990).

Porém, a questão que, ao lado da mecânica quântica, "pulverizou" de vez a concepção newtoniana de paradigma científico foi o surgimento da teoria da relatividade. Como observa Capra (1982, p. 69):

> "A noção de espaço e tempo absolutos, as partículas sólidas elementares, a substância material fundamental, a natureza estritamente causal dos fenômenos físicos e a descrição objetiva da natureza – nenhum desses conceitos pôde ser estendido aos novos domínios em que a física agora penetrava."

As inovações que mostravam o mundo quântico trouxeram uma certa insegurança aos físicos de sua época, pois, depois de 300 anos das certezas newtonianas, tudo "desmoronou" em um universo de incertezas e desconhecimentos. Como era possível conceber, por exemplo, que no mundo subatômico não havia a previsibilidade, e que, ao mesmo tempo que o cientista observava uma experiência, ele também influía nela? Assim, mesmo os cientistas mais próximos ao debate da questão sentiam-se desarticulados em seu pensamento; não havia seqüência lógica para o que estavam vendo. Como lembra o físico Heisenberg (Capra, 1982, p. 15):

> "Um estudo intensivo de todas as questões referentes à interpretação da teoria quântica (...) Lembro-me de discussões com Bohr que

---

4 Ao procurarem observar os elétrons, os cientistas não encontraram a antiga idéia do átomo newtoniano formado de partículas duras e sólidas. Assustados, concluíram que os átomos consistiam em vastas regiões no espaço em que partículas extremamente pequenas – os elétrons – se movimentavam ao redor do núcleo de forma indefinida. Os elétrons possuíam um comportamento inimaginável, eles não seguiam o movimento linear esperado. O átomo se comportava ora como partícula, ora como onda.

se prolongavam por muitas horas, até alta madrugada, e terminavam num estado que beirava o desespero. E quando, ao final de uma discussão, eu saía sozinho para passear num parque das redondezas, ficava me perguntando sem parar: 'pode a natureza ser assim tão absurda quanto nos parece em nossos experimentos atômicos?'"

A mecânica e a estatística clássica limitavam-se, então, à compreensão do que trazia de "novo" a teoria quântica. Planck demonstrara que a emissão e a absorção de energia radiante pela matéria não possuíam lugar continuamente, mas por meio de quanta de energia. E Einstein, indo mais longe, trouxe a hipótese de que a luz é constituída por quanta, que são corpúsculos de energia que se propagam no espaço como uma "saraivada" de projéteis viajando na velocidade da luz (Born, 1969).

A imprevisibilidade que surge a partir da mecânica quântica encontra uma nova compreensão da realidade da emissão descontínua. Os fótons, que não se apresentam linearmente dentro da imagem que fazemos do contínuo, representam a nova imagem que se sobrepõe à física clássica.

A interconectividade inerente a todas as coisas do universo

No mundo atômico, os objetos sólidos de Newton desaparecem para que surja o universo das probabilidades de interconexões. A descoberta do aspecto dual da matéria e do papel fundamental da probabilidade demoliu a noção clássica de objetos sólidos. Pois, no mundo subatômico, aquilo que imaginávamos como sólido dissolvia-se em energia e, assim, era indivisível. Desse modo, esses padrões representavam não probabilidades de coisas, mas de interconexões. Portanto, as partículas subatômicas não são objetos sólidos separados, como imaginava Newton, mas a própria interconexão entre as coisas.

Nesse nível de compreensão, "dissipam-se no ar" todas as noções de partes separadas. Em todo o universo não existe nada isolado, fragmentado. Pertencemos a uma só teia, ou, como definem os físicos, a um único "complicado tecido de eventos", no qual várias relações não lineares se combinam, tanto se alternando como se sobrepondo.

Como nas relações de trocas há uma incessante interconcctividade entre todos os elementos da totalidade, não há nada que não se complemente em todo o universo. Isso dá a "essência", "o espírito" do processo quântico.

Cada evento recebe influência direta de todo o universo, em que se torna impossível descrever com exatidão quais as relações totais que estão envolvidas em um único processo. Enquanto as variáveis ocultas em equações lineares são mecanismos locais, na física quântica elas são não locais, pois estão interconectadas a conexões locais e não locais.

Essa é a diferença essencial que distancia o mundo macroscópico do universo subatômico, pois, no primeiro caso, percebemos os objetos isolados, separados uns dos outros, e, no segundo, os objetos apresentam-se inter-relacionados com todo o conjunto do universo, o que possibilita sua compreensão somente a partir de probabilidades. E, acima de tudo, essa novidade dimensiona a possibilidade de se compreender uma nova lógica que se apresenta descontinuada, ocasional, Interconectada e pulsando viva dentro de um novo universo que se descortinava diante de um passado que descrevia um mundo linear em que tudo era determinado e previsível.

3. O novo paradigma

No século XX, após o advento da mecânica quântica, a idéia de complexidade, ligada à interconectividade inerente aos processos sistêmicos, a incerteza advinda da teoria desenvolvida por Heisenberg e o indeterminismo, entre outros fatores, trouxeram um novo patamar de compreensão da realidade. Este poderia explicar a nova dinâmica surgida com as redes e os fluxos econômicos, políticos e culturais, que tornaram o espaço geográfico um gigantesco caleidoscópio em que cada resposta é fruto da grande complexidade de variáveis que envolvem os sistemas planetários.

Assim, este subitem trará diferentes teorias que se integram por apresentar formas próximas de perceber o mundo físico e que incorporadas ao conceito de espaço comporão a bagagem conceitual da geografia da complexidade.

3.1. Teoria Geral dos Sistemas

A ciência clássica possui como método de explicação dos fenômenos naturais a observação a partir do seu isolamento do todo. A Teoria Geral dos Sistemas, por sua vez, é um importante campo metodológico que se propõe, entre outras coisas, suplantar a fragmentação e perceber os fenômenos a partir de sua interconectividade holística. Segundo Bertalanffy (1968), o procedimento analítico associa-se a duas condições que limitam a percepção da realidade: o primeiro ponto está associado à ligação entre as partes componentes de um sistema que, na análise clássica, ou não existe ou é fraca. Outra questão levantada pelo autor é a aditividade das partes, que não verifica as interconectividades como um processo fundamental para perceber a dinâmica do todo.

Para a Teoria Geral dos Sistemas, criada pelo biólogo Ludwig von Bertalanffy (1968), a condição mencionada não pode ser aplicada em sistemas que possuam a interação dos seus elementos. O problema metodológico na Teoria Geral dos Sistemas não se ocupa da compreensão das partes, e sim de procurar compreender a amplitude das questões, ou seja, de buscar o entendimento do todo (Bertalanffy, 1968).

Torna-se, assim, necessário o estudo não apenas das partes e dos processos de forma isolada, mas encontrar a resolução dos problemas na organização e na unificação das partes, que antes eram analisadas fragmentadamente, sem verificar a dinâmica de suas interações (Bertalanffy, 1968).

O avanço da mecânica quântica e de alguns princípios, como a incerteza de Heisenberg (1927), a interconectividade e o acaso, entre outras questões, influenciou a Teoria Geral dos Sistemas no caminho da superação da fragmentação como princípio de análise. A dinâmica das interações e das organizações é fundamento essencial para a compreensão dos sistemas abertos, que percebem, por exemplo, os fluxos termodinâmicos de entropia e sua posterior sintropia (Bertalanffy, 1968).

O objetivo da Teoria Geral dos Sistemas, além de projetar uma nova análise para a compreensão das dinâmicas sistêmicas, é também o de atuar em qualquer que seja a natureza dos elementos que compõem uma relação de forças entre eles, o que inclui qualquer disciplina científica (Bertalanffy, 1968). Como verifica Maciel (1974):

"A Teoria Geral dos Sistemas, ou ciência dos sistemas, é a ciência multidisciplinar que tem por objeto o estudo da relação dos sistemas e de seus elementos, das combinações daqueles e destes, respectivamente em super e subsistemas, bem como de seus modos de ação ou comportamento" (p. 21).

Por ser compreendida como uma ciência de aplicação universal, abrangendo vários campos do saber, a Teoria Geral dos Sistemas observa a existência de princípios e leis que podem ser aplicados aos sistemas e às suas subclasses, independentemente de seu tamanho, da natureza de seus componentes e da relação de forças que os envolve (Bertalanffy, 1968).

Uma das mais importantes propriedades da Teoria Geral dos Sistemas é sua busca incessante do equilíbrio, ou seja, os sistemas, a partir de suas trocas intensas de energia e matéria em certas circunstâncias, encontram um estado relativo de equilíbrio, conhecido como equilíbrio dinâmico.

A Teoria do Equilíbrio Dinâmico encontra-se estreitamente associada tanto à Teoria Geral dos Sistemas quanto às teorias do campo da auto-organização. Essa relação está no teor dos fluxos de energia e matéria, que disponibilizam mudanças nos sistemas para a manutenção de seu equilíbrio, e está na base do auto-ajuste, ou do ponto de criticalidade auto-organizada, sendo também o princípio básico da Teoria Geral dos Sistemas.

Para Christofoletti (1980), a Teoria do Equilíbrio Dinâmico estabelece que o modelado terrestre, sendo um sistema aberto, possui constante permuta entre a matéria e a energia que circulam em seu meio ambiente interno e externo. Para se manterem em funcionamento, esses sistemas necessitam de um ininterrupto suplemento de energia e massa, bem como da constante remoção de tais fornecimentos.

Na natureza, as formas do relevo passam a representar o resultado contínuo de um ajuste entre o comportamento dos processos e o nível de resistência oferecido pelo material que está sendo trabalhado, verificando assim que, por possuírem dinâmicas que buscam o melhor ajuste em sintonia entre as formas e os processos que irão determinar sua geometria, elas não são algo estático (Christofoletti, 1980; Marques, 1994).

Por outro lado, Christofoletti (1980) distingue entre equilíbrio dinâmico e estado de estabilidade, observando que este último corresponde a um subconjunto do primeiro, pois, em estado de equilíbrio, cessam as atividades dos sistemas (Prigogine e Stengerls, 1997).

3.1.1. Abordagem sistêmica

Dentro da inerente interconectividade que estrutura a natureza, os processos organizam-se em sistemas que buscam constantemente um determinado equilíbrio a partir de sua dinâmica, promovida pelos fluxos internos e externos.

A noção de sistema é bastante primitiva, no sentido de que ele se aplica a quase tudo o que existe e é complexo e organizado. Por sistema podemos entender um conjunto de elementos quaisquer ligados entre si por cadeias de relações de modo a constituir um todo organizado (Maciel, 1974).

Em relação aos sistemas com maior complexidade, para Chistofoletti (1999) um sistema complexo pode ser definido como integrando grande quantidade de componentes interatuantes, capazes de intercambiar informações com seu entorno, levando esses elementos a adaptar sua estrutura interna como conseqüência de tais interações. Esse princípio aproxima-se da Teoria da Complexidade, base dos processos de mutabilidade ou de resistência e resiliência.

Para Maciel (1974), um sistema é composto de elementos, ou partes, porém, ao se conceber a idéia de sistema, é necessário incluir mais dois atributos: o conjunto das relações que ligam entre si os elementos do sistema e o conjunto das atividades desses elementos, pois todo sistema implica sempre a existência de um processo operacional global, e não meramente uma coleção de partes ou elementos justapostos de uma maneira qualquer.

Assim, para se desenvolver uma idéia mais ampla a respeito de um sistema, deve-se observar a simultaneidade das inter-relações dialéticas existente entre três conjuntos que Maciel (1974) destaca: o conjunto dos elementos que compõem o sistema, o conjunto das relações desses elementos entre si e o conjunto de suas atividades (efetivas ou potenciais).

O conjunto dos elementos que compõem os sistemas implica conhecer suas qualidades, observando sua dinâmica, que podem gerar auto-organizações caóticas ou não a partir da dissipação interna de suas estruturas provocadas por pequenas ou grandes flutuações.

Percebendo a dinâmica inerente aos sistemas, Christofoletti (1980) define a estrutura de um conjunto como sendo constituída pelos elementos e suas relações, expressando-se por meio do arranjo de seus componentes, que perfazem suas inter-relações.

Maciel (1974) destaca que todo indivíduo de um sistema é um agente ativo, definindo-o da seguinte forma: elemento ativo é uma parte mínima bem definida de um sistema (todo), objeto qualquer (geralmente, mas não necessariamente) material que depende do "meio ambiente" e que age sobre esse meio. Por isso, as flutuações a que esses elementos ativos podem ser submetidos estão relacionadas ou a mudanças de teor interno, ou mesmo a flutuações de teor externo.

Em relação aos sistemas, Bertalanffy (1968) define três características de fundamental importância para sua análise: eqüifinalidade, retroação e adaptabilidade ou comportamento adaptativo.

Eqüifinalidade

Dentro da dinâmica dos sistemas existe o princípio básico da eqüifinalidade, segundo o qual, se as condições iniciais ou os processos forem alterados durante o andamento de um evento em um sistema, o estado final do mesmo também o será.

Segundo Bertalanffy (1968), todo sistema, ao alcançar o equilíbrio, revela um comportamento finalista, tendo como característica poder chegar ao estado final de diferentes condições iniciais e de diferentes maneiras.

Um bom exemplo para se compreender essa característica são as dinâmicas caóticas, que, em virtude da sensibilidade às condições iniciais, podem apresentar características diferentes do seu fluxo inicial após bifurcarem-se, percorrendo rotas imprevisíveis e atratores estranhos ao seu ponto de partida (Lorentz, 1996).

Em relação ao meio natural, Gregory (1992) observa que, como os sistemas da natureza são abertos, recebem energia livre (ou entropia negativa) e se comportam apresentando eqüifinalidade, pois condições iniciais diferenciadas podem conduzir a resultados finais semelhantes.

Retroação (feedback)

Os fluxos internos do sistema de energia livre, que também são chamados de entropia negativa ou neg-entropia, além de poderem participar da evolução do sistema também garantem o suprimento de energia e matéria indispensável para que qualquer conjunto mantenha seu equilíbrio (Gregory, 1992).

Esses fluxos internos, que estão ligados ao processo de retroação ou *feedback*, encontram-se relacionados à comunicação e à informação que entra no sistema. O conceito da retroação relaciona-se à conservação homeostática de um determinado estado, ou à procura de uma meta, que segundo Bertalanffy (1968) está baseado em cadeias causais circulares e mecanismos que enviam retroativamente a informação sobre os desvios do estado a ser mantido ou da meta a ser atingida.

Adaptabilidade ou comportamento adaptativo

Essa característica indica que, após passar por um estado crítico, o sistema inicia um novo modo de comportamento. Essa especificidade mostra que o sistema encontra processos irreversíveis a partir de sua auto-organização (Prigogine, 1993 e 1996; Prigogine e Stengerls, 1984 e 1997).

Outra indicação dessa característica, observada por Atlan (1992) e Christofoletti (1999), é o processo de auto-organização dos sistemas após encontrarem seu ponto crítico, ou sua criticalidade, pois o sistema que está na margem da estabilidade tende a se auto-organizar e buscar sua estabilidade a partir do atrator da dinâmica. Nesse processo, as estruturas dissipadas por entropia negativa, no caso da retroação (*feedback*), ou por envio de entropia positiva, advinda de sistemas externos, se reordenam encontrando novos modos de comportamento.

O comportamento adaptativo descreve o auto-ajuste, ou a auto-organização criativa a que se submete um fluxo sistêmico. A idéia de auto-regulação, criada por Bertalanffy em 1968, foi posteriormente desenvolvida por Prigogine (1996) na compreensão de auto-organização das estruturas dissipativas (Capra, 1996).

3.1.2. Penetrando no interior da totalidade

Baseado na Teoria Geral dos Sistemas, Capra (1996) discute o interior da totalidade de um sistema, entendendo sua estrutura observada a partir das interações que ocorrem na rede de relações naturais, apresentando: a teia de relações, os padrões de organização, seus processos e sua estrutura. Neste item, somam-se a esses processos a idéia de organização e a de totalidade percebendo as propriedades inerentes aos sistemas abertos.

Totalidade = novo nível hierárquico

A noção abstrata de totalidade que mais se aproxima da compreensão dos processos sinergéticos observa que a totalidade é sempre maior do que a soma das suas partes. Nessa concepção sistêmica, o todo avança para sistemas mais complexos de organização, em que as partes por complexidade e auto-organização encontram patamares superiores de evolução. Santos (1997) observa que a totalidade de B não é a soma dos componentes de A, que seriam A_1, A_2, A_3 e assim por diante, até porque A é infinito. B é uma plataforma superior a A, ou seja, ele é fruto da sinergia dos componentes de A que encontraram seu processo sinergético em B, sem perceber uma evolução obrigatoriamente linear e vertical.

Christofoletti (1999), verificando esse conceito nos sistemas naturais, observa que a totalidade aplica-se às entidades, constituídas em seu interior por partes que são independentes de seu somatório, pois estão em constante interação. Em um novo nível hierárquico, cada componente do todo possui características específicas, podendo ser considerado unidade, esta também analisada como totalidade.

Assim, a totalidade é inerentemente uma teia de relações que se mantém em constante fluxo evolutivo à procura de novas totalidades. Segundo essa hipótese, sistemas abertos tendem, pela sua complexidade, para estados superiores de organização, isto é, podem passar de um estado inferior de ordem para um estado superior de organização. Isso ocorre devido às condições internas do sistema, ou seja, da organização de suas estruturas, após sofrer flutuações e encontrar seu estado de criticalidade caótica ou não (Bertalanffy, 1968; Capra, 1996; Camargo, 1999).

Padrão

Uma teia de relações é um padrão e uma totalidade em si. Uma teia possui determinadas características que afirmam seu conjunto. O arranjo dos seus elementos componentes demonstra a identidade do sistema.

Cada época geológica confirma uma determinada equação ecológica, em que o arranjo dos seus elementos é único, ou seja, um determinado número de componentes possui um determinado padrão de organização.

A partir do conhecimento de que os sistemas são auto-organizados, observou-se que a natureza possui como características a criatividade e a aleatoriedade ao criar novas formas, alterando internamente as estruturas que compõem seus padrões. Como as estruturas internas constituem um determinado padrão, grandes variações termodinâmicas podem alterar a dinâmica interna dos processos, "reformando" a organização dos elementos da totalidade, podendo inclusive criar novos padrões de organização (Capra, 1996; Camargo, 1999).

Padrão e suas relações

Um padrão de organização é a configuração das relações existentes entre os componentes do sistema que determinam as características essenciais desse conjunto. A descrição do padrão de organização envolve um mapeamento abstrato de relações, ou seja, é a descrição de como estão situados os elementos internos desse padrão. Esses elementos são chamados de estruturas (Capra, 1996; Camargo, 1999).

Estrutura

Uma estrutura é a própria incorporação física do padrão de organização dos sistemas. A descrição da estrutura envolve a descrição dos componentes físicos efetivos do sistema, suas formas, composição química, e assim por diante.

Na constituição de um novo padrão, o processo vital é a atividade envolvida na incorporação contínua desse novo padrão de organização do sistema. Portanto, é a própria totalização (Capra, 1996; Camargo, 1999).

Organização

Bertalanffy (1968) observa que, quanto mais cresce um sistema, maior é o caminho de sua organização. Observa ainda que muitas organizações crescem além de seu limite crítico, propiciando, assim, instabilidade em seu sistema, ou seja, muitas organizações revelam padrões não estáveis. Isso ocorre porque os sistemas situam-se em equilíbrio dinâmico e revelam flutuações cíclicas resultantes de seu meio ambiente, externo e interno.

3.2. Teoria da Complexidade

A ciência clássica pauta-se pelo processo de redução e de simplificação dos principais problemas humanos. O paradigma cartesiano-newtoniano acreditava que toda a complexidade do mundo poderia ser respondida e resolvida a partir de princípios e leis gerais; porém, a própria variedade dos atuais problemas do planeta, como os problemas ambientais ou socioeconômicos, exige hoje uma outra forma de pensar a ciência e a própria racionalidade metodológica. A nova metodologia busca, de maneira dialógica, integrar noções complementares, concorrentes e antagônicas (Morin, 1998).

A complexidade nos aparece como algo complicado; contudo, é uma nova lógica que envolve a compreensão das variáveis e de suas interposições (Morin e Moigne, 2000). Estes autores observam que ela é a reintrodução da incerteza e da desordem em um mundo onde a certeza e a ordem triunfaram absolutas.

Em uma nova lógica, que não se resume ao pensamento puramente quantitativo, a complexidade precisa primeiramente ser pensada como um processo qualitativo, para não ser confundida com complicação, que é um emaranhado de inter-retroações (Morin e Moigne, 2000).

Em nossa percepção, algo complexo nos liga à dificuldade de entender seus processos, pois esse nos é confuso devido à extensão de seus traços diversos, excesso de multiplicidade e de fatores atuantes. No dicionário, complexo é algo árduo, difícil, espinhoso, embaralhado, confuso, enrolado, entrelaçado, indecifrável, inextricável, obscuro, penoso. Morin (1998) descreve a percepção usual concebendo a complexidade como a inimiga da ordem e da clareza. O pensar complexo remete à desordem, como algo ligado à ordem, que, por sua vez, é relativa ao sistema e à sua dinâmica no espaço-tempo.

De forma antagônica, os sistemas complexos seguem o acaso, o acidente, a desintegração desorganizadora e reorganizadora, em que as estruturas são dissipativas na ocorrência do caos e da auto-organização, ou mesmo na reconfiguração dos sistemas, em que, nessas dinâmicas, sistemas complexos podem surgir de interações não complexas (Favis-Mortlock e De Boer, no prelo).

Favis-Mortlock e De Boer (no prelo), a respeito da complexidade na dinâmica das paisagens, verificam que na prática esse fator interfere diretamente na previsibilidade de um distúrbio, posto que, devido às suas interações, que operam no tempo e no espaço, torna-se mais difícil conhecer quais as futuras emergências dessas interconexões que envolvem todo o sistema, podendo alterá-lo em todo o seu contexto.

Segundo os referidos autores, as paisagens que se apresentam complexas mostram um enorme número de interações entre seus componentes, o que acaba gerando a auto-organização destes e a emergência de novos padrões de organização do sistema (Favis-Mortlock e De Boer, no prelo).

3.2.1. Teoria da Complexidade e sua relação com o acaso e com a emergência de novas totalidades

Inicia-se aqui um debate que gira em torno do conceito da construção do que é a totalidade. Neste debate confundem-se dois paradigmas de totalidade. O primeiro, que acompanhou a idéia da totalidade, sendo esta constituída como o somatório interno de suas partes, e que acompanhou a trajetória da ciência cartesiano-newtoniana e seu reflexo direto no trato do meio ambiente, como o exemplo do espaço absoluto e sua inerente imutabilidade. A outra concepção de totalidade gera a idéia da mutabilidade constante do espaço e percebe a totalidade sempre como um elemento superior ao somatório interno de suas partes. Essa totalidade encontra-se, assim, em constante mutabilidade, em que novas totalidades surgem como fruto da interconectividade complexa de seus elementos internos, ou seja, de suas variáveis, sendo um processo de constante ampliação de complexidade e de surgimento de novas totalidades, como ensina Santos (1997, p. 94):

> "É a realidade do todo o que buscamos apreender. Mas a totalidade é uma realidade fugaz, que está sempre se desfazendo para voltar a se fazer. O todo é algo que está sempre buscando renovar-se, para se tornar, de novo, um outro todo. Como, desse modo, apreendê-lo?"

O que é então a totalidade? Elemento e processo em constante evolução não linear, e que renovam a sua essência redescobrindo-se a cada etapa evolutiva, na qual refazem seu universo. Mas qual é o segredo dessa evolução descontínua?

Diversas teorias, como a Teoria Geral dos Sistemas (1968), a Teoria da Complexidade, entre tantas outras, que se ligam ao advento da mecânica quântica, observam que a maior parte dos objetos da física é integrada, ou seja, representa-se como um conjunto de partes diversas que constituem um todo organizado, retomando a idéia de que o todo é maior do que a soma de suas partes (Bertalanffy, 1968).

O processo de construção da totalidade, ou totalização, segundo a hipótese da Teoria da Complexidade, constrói-se a partir da interconectividade das diferentes variáveis que integram um determinado sistema, ou seja, a integração de mais de três variáveis tende a construir algo novo, fruto dessa combinação.

Essa teoria, em sua inerente noção de interconectividade e de descontinuidade, norteia uma nova noção de ordem e de desordem que foge da antiga concepção clássica, na qual esses processos se davam de forma isolada e antagônica.

A compreensão da antiga dualidade ordem-desordem verifica, nesse mecanismo linear, a ordem e a desordem como integrantes unas e diversas das teias de inter-relações, nas quais se fundamentam a construção e a destruição contínua dos sistemas, gerando a organização em um novo patamar de hierarquia sistêmica.

Mas qual é o princípio que norteia a dinâmica ordem-desordem e a criação do novo? No seio desse debate está a interposição de variáveis que chamamos de interações, em que quanto mais rica é a organização, mais rica é a desordem. No jogo das interações supõe-se o encontro de seres ou objetos materiais, em que o "ruído" provocado liga-se à turbulência, à agitação e à desordem. Nesse mecanismo ocorrem realimentações, retroalimentações, fluxos dispersivos, associações, ligações, combinações, comunicações etc., sendo uma espécie de nó górdio de ordem-desordem, em que os encontros são aleatórios e, conseqüentemente, suas respostas são criativas e dependentes da organização desse sistema. As interações tornam-se, assim, a noção-chave entre desordem, ordem, organização e a criação da nova totalidade (Morin, 1977).

O novo conceito de ordem e desordem encontra um novo patamar de análise, no qual a ordem deixa de ser absoluta, passando a ser relativa e relacional (Stewart, 1991; Morin, 1997), pois ordem e desordem nascem juntas, enlaçando-se mutuamente, gerando novas organizações a partir de estados críticos criativos. A organização em sistema produz qualidades ou propriedades desconhecidas das partes, concebidas isoladamente e que geram o novo (Morin e Moigne, 2000).

Na gênese da nova organização, durante a desordem e a emergência de novas totalidades, são encontrados elementos que se dissipam e se reordenam. A dinâmica da metamorfose ocorre no limite da extrema complexidade da desordem, que acaba contendo uma nova ordem organizacional.

A teia de interações, que se movimenta constantemente, alternando a "unidade" ordem-desordem, gera organizações complexas, porque ao mesmo tempo são: acêntricas (o que funciona de maneira anárquica por interações espontâneas), policêntricas (que têm muitos centros de controle ou organizações) e cêntricas (que dispõem, ao mesmo tempo, de um centro de decisão) (Morin e Moigne, 2000).

Supondo o todo, superior à soma das suas partes, os sistemas possuem algo mais do que os componentes considerados de modo isolado ou justapostos. Esses elementos e processos são: a sua organização, a própria unidade global (o todo), as qualidades e propriedades emergentes da organização e da unidade global e a morfogênese sistêmica – unidade complexa organizada (Morin, 1977; Favis-Mortlock e De Boer, no prelo).

A noção de organização vem da disposição de relações entre componentes ou indivíduos, que produz uma unidade complexa dos sistemas, dotada de qualidades desconhecidas no nível dos componentes dos indivíduos. Cada inter-relação liga elementos ou indivíduos diversos, que se tornam componentes de um todo. As qualidades e as propriedades que nascem da organização de um conjunto determinado retroagem sobre esse conjunto, a partir da sua emergência ao acaso ou não.

O acaso e a sua inerente criatividade demonstram que, na natureza, os sistemas complexos que vivem em turbulência, fruto da dinâmica ordem-desordem, mostram que a natureza não obedece a leis newtonianas, porém a interações que agem ao acaso. Na estrutura dessa nova dinâmica de interações, o novo é gerado e estudado pela Teoria da Auto-Organização, pela Teoria da Complexidade, pela Teoria das Estruturas Dissipativas e pela Teoria do Caos.

Aqui diferenciamos a evolução em círculo, ligada à reversibilidade da evolução em espiral, que dinamiza novas totalidades, podendo gerar a irreversibilidade nos sistemas complexos. Prigogine (1993 e 1996) e Prigogine e Stengerls (1997) demonstram em seu trabalho que a irreversibilidade desempenha um papel construtivo no meio natural, já que permite processos de organização espontânea.

3.3. Teoria do Caos

Outra teoria que tem sido extensamente debatida é a Teoria do Caos. Pretendemos aqui iniciar um breve debate em torno dessa questão, levando em consideração sua importância na construção e na desconstrução dos sistemas.

3.3.1. Acaso x determinismo

A natureza obedece à sincronicidade determinista ou apresenta aleatoriedade na dinâmica de seus fluxos? Desde que Isaac Newton (1642-1727) demonstrou matematicamente que os processos naturais poderiam ser descritos a partir de leis deterministas, os eventos da natureza vêm sendo retratados pela ciência como algo contínuo e previsível. Porém, essa lógica tem sido questionada desde o aparecimento do acaso e da descontinuidade, com o advento da mecânica quântica e do uso de computadores na modelagem de sistemas naturais (Capra, 1982 e 1983; Stewart, 1991; Pessis-Pasternak, 1993; Lorenz, 1996).

O determinismo clássico, que nasce com Newton (1642-1727) e consagra-se no início do século XIX com o matemático francês Pierre Simon de Laplace, exerce até hoje grande fascínio não só entre a comunidade científica, mas também em quase todo o mundo ocidental.

Para o determinismo clássico, o estado de um sistema em um dado instante determinará seu comportamento em seu estado ulterior. "Portanto, o lado em que cairá a moeda é determinado no momento da criação do universo." A mecânica newtoniana postula que, quando se conhece a posição e a velocidade de um sistema, pode-se saber ao certo qual será seu estado em qualquer instante. Todo movimento é determinado; o estado do movimento presente no universo é suficiente para fixar seu futuro, pois o fluxo do tempo newtoniano é contínuo e matematicamente preciso (Ruelle, 1993; Davies, 1999).

A Teoria do Caos, ao contrário, não percebe similaridade com todas as dinâmicas deterministas. Segundo essa teoria, algumas dinâmicas, que têm seu fluxo identificado e mesmo que possuem previsibilidade zero de qualquer alteração em seu fluxo, podem sofrer pequenas variações internas e romper radicalmente com seu regime previsto (Pessis-Pasternak, 1993).

É importante ressaltar que o caos matemático difere em qualidade da palavra grega "caos", que traduz a completa desordem e confusão. O caos matemático tem sua definição como "comportamento estocástico que ocorre em um sistema determinístico" (Stewart, 1991).

O paradoxo colocado é a oposição entre o comportamento estocástico e o determinismo. O primeiro termo remete a um processo sem lei, aleatório e irregular, e o segundo representa um comportamento regido por uma lei exata, não passível de infração.

Dauphiné (1995) observa que a transição da ordem para a desordem ocorre em função das variáveis presentes nos sistemas, e que, graças à sua complexidade, propicia a passagem do estado periódico para o estado de caos. Para o autor, esses parâmetros determinam a não-linearidade do fluxo caótico, ditando, assim, seu valor crítico de mudança.

Certas equações não lineares possuem a propriedade de amplificar exponencialmente qualquer erro, por menor que seja, descaracterizando, assim, qualquer predição a longo prazo. Isso acarreta um comportamento randômico e errático, integrando o determinismo ao indeterminismo (Fiedler-Ferrara et al., 1995; Bergé et al., 1996).

Referindo-se à complexidade dos sistemas como um todo, o matemático Palis (1999) afirma que, a princípio, a maior parte dos sistemas dinâmicos observados empiricamente é ao menos parcialmente caótica. O matemático também observa que o determinismo desses sistemas não se reflete na lógica linear e causal conhecida, mas, sim, em um emaranhado de órbitas que interagem complexamente em um fluxo.

Isso ocorre porque um sistema determinista clássico é descrito por um conjunto de variáveis no qual, especificando o valor numérico deste, definimos unicamente o estado do sistema, podendo, assim, prever seu estado ulterior a qualquer instante, em oposição aos sistemas caóticos, que fogem da previsibilidade inicial, apresentando o acaso como característica-chave (Morin, 1977; Gleick, 1989; Capra, 1996; Almeida, 1999).

A interposição das variáveis em um sistema caótico, por sua vez, ocasiona, em um ponto específico da dinâmica, uma sensibilidade às condições iniciais, que pode gerar uma bifurcação. Como resposta, o trajeto do sistema caótico torna-se descontínuo e imprevisível. Assim, para que ocorra o acaso caótico é necessário que haja interposição de um conjunto de variáveis que, graças a um pequeno evento, geram grande distorção na previsibilidade inicial (Fiedler-Ferrara et al., 1995; Lorenz, 1996). As principais características dos eventos caóticos, segundo Stewart (1991), Prigogine (1993), Ruelle (1993) e Lorenz (1996), são:

1. Sistemas caóticos são sensíveis às suas condições iniciais, em que uma pequena mudança pode causar uma enorme diferença em sua previsibilidade inicial, apresentando um grau aleatório nas respostas a longo prazo;

2. Sistemas caóticos não ocorrem apenas com duas variáveis; eles só existem a partir de três variáveis, e quanto mais complexo for um sistema, maior será sua possibilidade de caos; o início do processo caótico depende de uma bifurcação;

3. Sistemas caóticos possuem previsibilidade zero em seu ponto de partida;

4. Eles ocorrem em um espaço limitado.

3.3.2. Irreversibilidade e formação de novas totalidades a partir da Teoria do Caos

Uma das características fundamentais da Teoria do Caos é a irreversibilidade dos sistemas caóticos. Essa análise é encontrada em vários autores, como Abraham *et al.* (1992), Capra (1996), Dauphiné (1995) e Lorenz (1996). Porém, Prigogine (1993) e Weber (1986) vêm consolidando esse debate, integrando-o a um novo postulado científico que demonstra a divergência dos campos do saber que nascem com o caos em contraposição aos postulados newtonianos.

O futuro é dado ou está em perpétua construção? A essa pergunta Prigogine (1993 e 1996) responde que o futuro, o presente e o passado são fluxos pertinentes à flecha do tempo, em que ocorre uma contínua evolução na qual novos níveis de complexidade formam novas totalidades, quando os sistemas estão em estado irreversível de não-equilíbrio.

Essa afirmação contrapõe-se aos axiomas newtonianos, que percebem o universo como imutável. Abraham *et al.* (1992) e Capra (1982 e 1996) identificam a natureza como criativa, organizando-se e reorganizando-se evolutivamente a partir de seus processos caóticos. A cada criatividade uma nova totalidade irreversível apareceria. Para esses autores, sistemas complexos e caóticos são a essência evolutiva do universo. Assim, suas análises opõem-se à análise newtoniana, que vê a imutabilidade e a permanência constante dos sistemas universais. Como observam Abraham *et al.* (1992):

> "Essas permanências estão resumidas nos princípios da conservação da matéria e da energia: a quantidade de matéria é sempre a mesma, como é sempre a mesma a quantidade total de energia. Na verdade, nada muda no nível mais fundamental. Tampouco mudam as leis da natureza" (pp. 29-30).

Em sua obra *Les Lois du chaos*, Prigogine (1993) observa duas culturas sociais distintas: a das ciências físicas e naturais, acostumada à descrição do mundo associado à percepção determinista, e a das ciências sociais, percebendo os fenômenos como extremamente complexos, e que pode encontrar o acaso e a imprevisibilidade com maior ocorrência. O autor analisa que essa dicotomia remete ao problema de como percebemos o tempo, o que chama de "paradoxo do tempo". Portanto, de como nos relacionamos com nossa visão da flecha do tempo, como se vê o passado, o presente e o futuro, e, assim, de como nossa ciência também percebe a dinâmica temporal.

A irreversibilidade, que foge dos postulados newtonianos, compreende que a mudança dos fluxos periódicos constantes para fluxos não periódicos representa não somente mudanças quantitativas, compreendidas por equações não lineares, porém também em nível qualitativo, ao transformar criativamente a totalidade existente em um novo patamar de realidade que pode tornar-se irreversível (Weber, 1986):

> "Uma única flutuação, emprestando sua força a outras flutuações, pode tornar-se suficientemente poderosa para reorganizar a totalidade do sistema num único novo esquema. Os pontos onde esse fenômeno ocorre são 'Pontos de Bifurcação', inacessíveis à descrição determinística; o sistema segue então um dos vários desvios possíveis do caminho original" (p. 225).

Segundo Prigogine e Stengerls (1984 e 1997), a irreversibilidade contrapõe-se aos postulados de um universo mecânico e perfeitamente regulado pelas leis físicas newtonianas. A ciência clássica privilegia a ordem, ao passo que, em suas análises, Prigogine e Stengerls (1984 e 1997) encontraram o papel fundamental das flutuações e da instabilidade como "reorganizadoras" dos sistemas instáveis, como os caóticos.

Prigogine (1996) introduz, assim, a partir de suas estruturas dissipativas, a idéia de que a Teoria do Caos traz um novo paradigma para a ciência, pois, como observa Thomas Khun (1970), algumas questões da ciência não respondem a perguntas feitas a partir de antigos postulados, precisando-se, assim, romper qualitativamente com estes, buscando novos caminhos, que venham a atender às novas dúvidas da ciência. Como observa Khun (1970):

"A transição de um paradigma em crise para um paradigma novo, do qual pode surgir uma nova tradição de ciência normal, está longe de ser um processo cumulativo obtido através da articulação do velho paradigma. É antes uma reconstrução da área de estudos a partir de novos princípios, reconstrução que altera algumas das generalizações teóricas mais elementares do paradigma, bem como muitos dos seus métodos e aplicações" (p. 116).

3.4. Criticalidade Auto-Organizada (CAO)

A concepção de auto-organização originou-se nos primeiros anos das pesquisas em torno do processo cibernético, na década de 1940, na qual a ciência buscou modelos matemáticos para representar a lógica inerente nas redes neurais (Capra, 1996).

Na década de 1950, esses modelos efetivamente foram construídos, buscando uma lógica binária de pergunta-resposta que, segundo as expectativas dos cientistas, deveria funcionar na lógica causal determinista; porém, para espanto geral, os sistemas agiam ao acaso dentro de um novo patamar de organização. Esse novo patamar de organização demonstrava que os sistemas agiam aleatoriamente, ou mesmo repetiam ciclos, mas que, depois de um certo tempo, dos padrões ordenados emergiam novos padrões espontâneos, o que ficou conhecido como auto-organização (Capra, 1996).

Em 1987, Per Bak, Chao Tang e Kurt Wiesenfield publicaram um trabalho intitulado *Criticalidade auto-organizada: uma explicação para o ruído 1/f* (Favis-Mortlock e De Boer, no prelo). Segundo Gomes (1999), esses autores demonstraram que, freqüentemente, sistemas de muitas partículas evoluem para um estado chamado de Criticalidade Auto-Organizada. A CAO é caracterizada por: 1?) leis de escala espacial; 2?) leis de escala temporal; 3?) ausência de sintonização, ou seja, o estado crítico é alcançado automaticamente, sem necessidade de se ajustar qualquer variável ou parâmetro.

Gomes (1999) conclui que, para os sistemas clássicos tradicionais com poucos graus de liberdade, a idéia de causa/efeito aparece clara; porém, quando muitas variáveis interagem com força de curto alcance, torna-se difícil identificar o que leva a um efeito observado. E completa: "(...) uma perturbação muito pequena pode levar a efeitos igualmente muito pequenos, mas também a efeitos de qualquer outro tamanho, inclusive aos muito grandes."

Os mecanismos de CAO são de ocorrência impossível em sistemas fechados, pois só ocorrem a partir de interações com os elementos que possibilitam sua reorganização, a partir da sua interconectividade com todo o sistema e com o exterior (Atlan, 1992).

A condição de acaso e de reorganização dos sistemas apresenta uma nova ótica de compreensão da realidade. A literatura consultada remete à compreensão da condição de sintropia dos sistemas, pois acredita que eles se reorganizam desenvolvendo uma nova totalidade, ou seja, em oposição à compreensão dos sistemas pela entropia, a noção de sintropia esclarece que, a partir da justaposição das variáveis, uma nova plataforma é gerada como "fruto" da complexidade apresentada no sistema em destaque. A antiga visão da ordem é repensada em sistemas complexos, nos quais a desordem gera um novo patamar da realidade.

Segundo Favis-Mortlock e De Boer (no prelo), estudos comprovam que a complexidade e a auto-organização podem resultar de simples interações entre componentes de sistemas não lineares que possuam suas interações observáveis por regras locais, mas que, porém, atuam em escala global, ou seja, envolvendo todo o sistema. Assim, as estruturas se auto-organizam em uma escala aparentemente não local, mas que envolve uma dinâmica superior.

Os referidos autores ainda observam que os sistemas auto-organizados apresentam as seguintes características:

1. Possuem *feedback*;
2. Apresentam complexidade e escala;
3. Apresentam emergência de um novo padrão de organização do sistema;
4. Todos os elementos internos do sistema são interconectados.

3.5. Teoria das Estruturas Dissipativas

O físico russo Ilya Prigogine, naturalizado belga, ganhou em 1977 o Prêmio Nobel de Química, trazendo aos debates científicos uma nova noção de termodinâmica que se opunha à lei de entropia: a Teoria das Estruturas Dissipativas.

A segunda lei da termodinâmica estabelece que a energia disponível executa um movimento que vai da ordem perfeita à desordem absoluta, na qual se esgotará completamente. Esse princípio, de 1865 (Weber, 1986), atribui irreversibilidade a determinados processos da natureza. A flecha do tempo, "cunhada" pela entropia, segue a determinação de Boltzmann, na qual nenhum intercâmbio posterior de energia pode ocorrer (Asimov, 1990).

Para Prigogine (1996), a flecha do tempo obedece a uma ordem superior não previsível, que pode levar a energia resultante do trabalho a se auto-organizar ou a entrar em estado caótico, o que caracteriza a sintropia, ou a reordenação dos sistemas da natureza.

Os fluxos se dissipam, pois entram em uma nova ordem de "arranjo", combinando-se não linearmente com a própria natureza e transformando-se em algo novo. Capra (1996) nos apresenta essa nova noção de não-equilíbrio e de não-linearidade:

> "Longe do equilíbrio, os processos de fluxo do sistema são interligados por meio de múltiplos laços de realimentação, e as equações matemáticas correspondentes são não lineares. Quanto mais afastada uma estrutura dissipativa está do equilíbrio, maior é sua complexidade e mais elevado é o grau de não-linearidade das equações matemáticas que a descrevem" (p. 150).

A flecha do tempo introduzida pela termodinâmica clássica não apontava para uma nova ordem crescente, e sim para a desordem. Para Prigogine (1996), os sistemas, vivos ou não, se apresentam complexos e buscam o constante equilíbrio a partir de suas estruturas dissipativas, que introduzem uma criatividade constante na natureza, pois demonstram a interdependência que integra todos os sistemas do planeta.

A emergência de novos patamares de organização relaciona-se à sinergia encontrada pelas estruturas que se dissiparam. Esse conceito remete à idéia de que o todo é superior à soma interna das partes de um sistema (Favis-Mortlock e De Boer, no prelo).

4. Transição do paradigma científico – ciência pós-moderna e dialética da natureza

Compreendendo que as teorias expostas caracterizam-se pelo advento de novas possibilidades e de lógicas pouco conhecidas, propõe-se uma releitura do meio natural e de sua relação com a sociedade. Essa releitura passa a destacar o declínio do imaginário, nascido da visão clássica e que efetivamente inundou a ciência e a sua reflexão feita pela população.

Essa leitura proposta tem como base as teorias e os conceitos que foram expostos, verificando não apenas o meio físico como elemento-chave na compreensão do meio ambiente, mas a intrínseca interconectividade do meio natural e do meio social, em que ambos se fundem como um objeto criado por vários elementos em alta temperatura, assim como um só tecido, em que o homem volta a se identificar como um elemento da totalidade, sendo também natureza.

Nesse caso, a transição do conceito e das teorias na busca de novas leituras verifica o que Khun (1970) chama de processo não-cumulativo, no qual a ruptura com o passado é total por não mais atender às necessidades da sociedade e, assim, da ciência.

Para Souza Santos (1989), a transição para uma ciência pós-moderna não pode escapar a um círculo hermenêutico,[5] o que sig-

---

[5] Os elétrons possuíam um comportamento inimaginável, eles não seguiam o movimento linear imaginado. O átomo se comportava ou como partícula ou como onda. Os fótons possuíam uma propriedade de nunca parar de se deslocar; eles viajavam à

nifica que, antes de mais nada, não podemos compreender qualquer disciplina (parte) sem termos a compreensão de como funciona o seu todo, e vice-versa, pois não podemos compreender a totalidade sem termos a visão de como "trabalham" as suas partes. Aliás, o todo e a parte são aqui, de algum modo, uma ilusão mecânica, pois o princípio hermenêutico e dialético afirma que a parte é tão determinada pelo todo como o todo pelas suas partes.

Nessa tentativa de incorporar novas visões à ciência, propomos uma releitura da realidade, pois, como reafirma Souza Santos (1989), a reflexão hermenêutica visa a transformar o distante em próximo, o estranho em familiar. Segundo esse autor, para se efetivar um processo hermenêutico associado a um novo paradigma, faz-se necessária a desconstrução paulatina dos diferentes objetos teóricos que a ciência constrói sobre si própria.

Para uma reflexão epistemológica, o seu conteúdo passa obrigatoriamente pela compreensão de que esse paradigma de ciência baseou-se na fragmentação da realidade para verificação e realização de seus objetivos. Hoje, esse fator materializa-se na insatisfação com a sociedade industrial nascida da ciência clássica e manifesta-se em diferentes contextos da sociedade e da ciência, como em diversas ONGs e protestos públicos. A antiga e permanente exteriorização do homem com seu espaço natural e suas danosas conseqüências são hoje mais do que conhecidas e temidas por grande parcela da sociedade.

Sentindo-se externo ao meio natural, o homem moderno efetivou diferentes intervenções na natureza, baseado no conceito clássico do espaço absoluto, tridimensional, inerte e não participante. O meio natural passa a ser, então, um eterno supermercado de recursos, e, em caso de esgotamento de algum elemento, a

---

velocidade da luz, habitando o mundo subatômico e trocando constantemente energia com outros fótons.

mesma ciência, rica e em evolução, tenderia facilmente a redimensionar uma solução técnica e efetivamente eficaz.

Porém, a dinâmica da produção capitalista acompanha-se também de novos processos de análise, se forem verificados pelas teorias expostas neste livro. Imagine que, nesse caso, nem o homem se desvencilha da natureza e nem esta se isola do ser humano e de suas ações, provocando uma mútua inter-relação.

Ao propor uma crítica à racionalidade latente do Iluminismo, além de fornecer uma proposta metafísica, Kant (1999) verifica que a razão, bem como sua racionalidade, só discerne o que ela mesma produz segundo seu projeto, assemelhando-se a um juiz nomeado que obriga as testemunhas a responder às perguntas que lhes propõe. Concordando com a hipótese de Kant, pensamos o senso comum como um elemento dialeticamente ligado à sociedade de controle, como já afirmava Foucault, descrevendo-o como algo gerado e não natural, sendo destruído e (re)construído, incorporando verdades físicas e sua percepção do que é explicável momentaneamente.

O avanço das ciências naturais nos últimos séculos, como avalia Souza Santos (1989), associa-se principalmente à crise do positivismo, que ditava as verdades contidas nas ciências sociais, e também relaciona-se à própria materialidade tecnológica, em que o avanço científico das ciências naturais se construiu. Esse processo não fez com que os objetivos teóricos das ciências naturais e das ciências sociais deixassem de ser distintos, mas fez o que fosse analisado distinta e progressivamente menos importante do que o que apresentasse análises iguais.

Até agora, a questão tem sido posta em termos de saber se as ciências sociais são iguais ou diferentes das ciências da natureza. Por isso, buscando uma proposta epistemológica pós-moderna, Souza Santos (1989) vê como fundamental teorizar a relação epistemológica entre as ciências sociais e as ciências da natureza dentro do espaço deixado pela crise explícita da ciência clássica. Nesse caso, nossa proposta é objetivamente clara dentro das condições necessárias à mudança.

Perceber a interconectividade que envolve homem e meio natural é entender sua própria essência. Buscar uma postura transdisciplinar é pensar a compreensão da totalidade e de uma nova práxis científica. E, dando continuidade a essa busca, nosso livro procura afirmar que a ciência geográfica é a ciência capaz de discutir efetivamente as questões ambientais, tanto por sua dimensão ontológica, que envolve a geografia, como também pelo recente desenvolvimento de suas principais teorias, que fogem da linearidade clássica.

Hoje, quando o conceito de espaço geográfico confunde-se com a própria idéia de totalidade em construção (totalização), a idéia de meio ambiente torna-se superável, pois mesmo áreas aparentemente isentas da ação humana são parcelas da totalidade que se envolvem pelos fluxos planetários dentro de uma lógica em que a biodiversidade é reserva para o mercado globalizado.

Assim, a próxima parte dimensionará o estudo da evolução do conceito de espaço dentro da ciência geográfica, propondo seu conhecimento como elemento fundamental para se repensar epistemologicamente o meio natural e sua relação com as ações da sociedade, que de forma híbrida integram-se em um plano quântico da realidade.

PARTE   II

Mcio ambiente ou espaço geográfico?

"O espaço é a totalidade."

Milton Santos, 1997

1. Mutabilidade, imutabilidade e o conceito de espaço geográfico

A tradição de pensar a relação que envolve o homem e a natureza associa-se diretamente aos grandes questionamentos que, no Ocidente, iniciam-se com os pré-socráticos e sua visão a respeito da vida e da existência como um todo. Essa concepção confunde-se diretamente com o próprio nascimento da filosofia, entre o final do século VII a.c. e o início do século VI a.c.

Dentro desse contexto, Tales de Mileto (580 a.C.)[6] concebia que todo o universo seria formado de água que se transformaria naquilo que não tivesse sua mesma aparência, ou seja, para ele, a água seria a substância original do universo. Tales de Mileto também desenvolveu pesquisas em torno do magnetismo por meio do estudo das pedras de ímã, mas talvez o grande feito desse pensador tenha sido a previsão, no ano 585 a.C., de um eclipse, demonstrando, assim, um procedimento inicial em padronizar os processos naturais.

De suma importância para o desenvolvimento do debate em torno da natureza foram as contribuições de Parmênides (580-480 a.C.) e Heráclito de Éfeso (540-480 a.C.). Seus questionamentos envolviam uma das idéias-chave desenvolvidas neste livro: a idéia da mutabilidade e da imutabilidade da natureza.

Para Parmênides, tudo o que existe sempre existiu, ou seja, ele acreditava na imutabilidade das coisas, em que qualquer tipo

---

6 Tales de Mileto é considerado por alguns o fundador da filosofia natural, pois foi o primeiro a buscar respostas que não dependiam dos deuses ou do sobrenatural.

de transformação seria algo impossível. Para ele, questões explícitas, como a transformação do dia em noite, eram fruto apenas da incerteza inerente aos sentidos. De forma antagônica, Heráclito imaginava que tudo mudava, nada no universo seria imutável e fixo.

A fluidez e a dinâmica desse debate irão percorrer séculos, bifurcando-se em questões que vão do determinismo físico até a diferenciação entre o espaço absoluto newtoniano e o espaço mutável criado e recriado pela sociedade, e que dinamiza, segundo a nossa hipótese, a natureza.

A riqueza dessa questão atravessa o tempo e o espaço, norteando a construção de conceitos e de teorias que irão criar e recriar o imaginário social. Assim, as ciências têm percebido ao longo do tempo relações diferentes com a realidade e como esta se dinamiza.

A geografia, por sua vez, tem experimentado, em sua recente história, influências desses temas que irão nortear historicamente suas teorias. Em verdade, quando nos referimos à recente história da geografia, remetemo-nos à sua institucionalização como ciência universitária, surgida na recém-formada Alemanha em 1870; porém, é claro que toda sua dinâmica retrata uma longa trajetória, que lembra a descrição das paisagens envolvendo tanto a natureza como a organização cultural e arquitetônica, e que pode ser encontrada tanto em Heródoto, que viveu há cerca de 2.500 anos, como no médico holandês Varênius (XVII), que ao morrer aos 27 anos deixou a principal obra a respeito da geografia de sua época. É por isso que, quando se buscou criar uma ciência que efetivamente estudasse a relação existente entre a sociedade e a natureza, essa cadeira universitária ganhou o nome de geografia (Capel, 1980).

Assim, esta parte, buscando demonstrar que a mutabilidade é elemento inerente à relação sociedade/natureza, fará um debate em torno da trajetória geográfica, verificando que, inicialmente, a epistemologia dessa ciência e seus métodos ligavam-se essencialmente à idéia clássica do paradigma cartesiano-newtoniano, de espaço absoluto, associada à fragmentação, e que com o tempo esse conceito estruturou-se com a evolução da idéia de espaço geográfico, que se associa à idéia de mudança constante. É por isso que esta parte irá discutir o espaço, suas variáveis e por que esse conceito é de fundamental importância para se conhecer como o planeta se auto-organiza sistemicamente.

2. A gênese da geografia moderna

Antes do nascimento da geografia como ciência acadêmica, uma orla de grandes pensadores influenciou decisivamente a sua consolidação. Refletindo o contexto das idéias de sua época, esses homens formularam as bases epistemológicas dessa ciência, em que se destaca a grande influência de filósofos e pensadores alemães, como Herder (1744-1803), Schelling (1775-1854) e Kant (1724-1808). Posteriormente, outros alemães, também ligados à geografia, como Humboldt (1769-1859) e Ritter (1779-1859), formularam teorias e métodos de análise que, mesmo sem deixar seguidores diretos, marcaram a história dessa ciência.

A herança deixada por Herder, Schelling e Kant, e que influenciou diretamente a Humboldt e Ritter, remete a diferentes aspectos, que vão da intuição kantiana ao romantismo[7] e ao idealismo. Essas questões marcam as análises desses autores, influenciando seus métodos e sua percepção da natureza; dessa forma, suas teorias propagam-se por outras gerações de geógrafos, deixando marcas que irão distinguir a geografia de outras ciências.

O romantismo, por exemplo, caracterizava-se por ver o espírito do mundo na natureza, ou seja, como uma totalidade orgânica viva e interconectada que possuía um constante processo de mutabilidade evolutiva.

---

[7] O romantismo, que vigorou do fim do século XVIII até meados do século XIX, surge na Alemanha como reação ao Iluminismo e ao seu racionalismo de base newtoniana.

O grande idealizador do romantismo foi Friedrich W. J. von Schelling (1775-1854), que propagou suas idéias escritas conhecidas como filosofia da natureza. Essa nova racionalidade iria além da percepção do meio natural que os naturalistas de então possuíam, pois, para ele, havia uma racionalidade superior àquela estabelecida, e a mesma encontrava Deus como a própria totalidade. Dando vida assim à natureza, que se confundia com o divino, Schelling deixava como legado à ciência não apenas uma herança animista, mas a idéia do processo evolutivo constante que envolvia o meio natural.

Gottfried Herder (1744-1803) foi outro filósofo idealista alemão que, para autores como o geógrafo francês Paul Claval (1999), seria fundamental para a institucionalização da geografia, por descrever as diferenciações regionais. Herder seria o pai da geografia regional, pois pesquisava as canções populares de cada região e assim começava a estabelecer suas diferenças a partir de seu aspecto regional.[8]

Dentro de um contexto em que as sociedades ainda não possuíam grandes trocas culturais, e, conseqüentemente, mantinham maior identidade de suas populações em relação às suas culturas locais, Herder iniciou o debate regional, permitindo às futuras gerações seu estudo e sua melhor compreensão, fator que seria a base dos estudos em geografia a partir do século XIX.

Em sua percepção das nações e do seu ambiente, Herder, fugindo do racionalismo, criara um determinismo teleológico em que Deus, em Sua onipotência, gravou na natureza o destino de cada povo. A natureza seria, assim, um meio de interpretação de uma determinação anterior divina e que influenciava diretamente as culturas regionais.

---

[8] Herder recolheu canções populares de muitos países e escreveu uma coletânea chamada *As vozes dos povos em canções*.

Tanto Herder como Schelling vão trazer em seus debates uma intensa crítica ao racionalismo, que ganhava força com o Iluminismo e com o empirismo inglês de Locke (1632-1704) e Hume (1711-1776). A geografia, então, ganhava força e iria além da racionalidade comum, fator que seria fundamental para que Humboldt, por exemplo, ultrapassasse as conceituações estáticas e puramente descritivas realizadas na época sobre o meio natural. Porém, outro filósofo alemão de grande importância e que lecionava geografia na universidade prussiana de Köningsberg foi Immanuel Kant. Esse filósofo, em sua base metodológica, tinha também um encontro com a ciência, indo além da racionalidade e da experiência simples. Para Kant, o conhecimento atravessaria a razão pura, encontrando-se também na intuição.

A intuição kantiana fundamentou e fundamenta diferentes correntes do pensamento geográfico, sendo elemento crucial para que esses geógrafos percebam a natureza, a sociedade e suas especificidades.

Essa pequena mostra da gênese dessa cadeira acadêmica demonstra como a geografia herdou várias influências, que, de maneira específica, a diferenciaram de outras ciências; por isso, sua característica ontológica em pesquisar a relação sociedade/natureza foi única.

2.1. O conceito de espaço geográfico

Levando em consideração que o surgimento da geografia como ciência acadêmica estruturou-se buscando conhecer o envolvimento existente entre a sociedade e a natureza, pode-se concluir que sua trajetória foi única entre as outras ciências no trato dessa questão. Por isso, o desenvolvimento de suas teorias e conceitos teve, logicamente, maior relevo para essa questão.

E entre as diferentes correntes da geografia, um conceito foi historicamente desenvolvido, a Teoria do Espaço Geográfico, que norteou a percepção da totalidade homem-meio. Porém, durante a trajetória dessa ciência, muitos autores, em suas respectivas correntes, prendiam-se à idéia da geografia como desvinculada do conceito de espaço, ou que pensava o mesmo como um elemento inerte e imutável.

A construção do atual conceito de espaço geográfico ligado às demandas dos fluxos e das redes, e que associa o meio natural à própria ação da sociedade, requer uma nova perspectiva, trazendo à tona a necessidade de se repensar o paradigma dominante e de se traduzir essa relação em novas maneiras de se pensar a totalidade.

Dessa forma, acreditamos que a conquista da análise do espaço, sob um ponto de vista dialético e incorporado à análise sistêmica, representa para a sociedade um fabuloso avanço, tendo em vista que, historicamente, o espaço sempre foi esquecido, renegado em relação à análise do tempo. Foucault, por exemplo, já observava que o espaço sempre foi tratado como o morto, o fixo, o não dialético, o imóvel, e o tempo, ao contrário, foi a riqueza, a fecundidade, a vida, a dialética. A visão foucaultiana, que leva em conta o espaço absoluto no imaginário social, traz à tona a crítica à ciência clássica e a seus processos, alterando a realidade e interferindo no andamento da sociedade. Essas características associavam-se à construção do conceito de espaço pela ciência geográfica, que a atrelou a diferentes ideologias e paradigmas ligados aos postulados da física newtoniana.

A partir dessa maneira de se pensar a realidade, o espaço foi construído dentro do imaginário social, ligado à idéia que o atrelou à própria ideologia capitalista, garantindo a manutenção tanto da exploração dos recursos como da visão da natureza, sendo constituída por elementos inertes, impassíveis e impessoais.

E é pela análise dessa corrente que pretendemos iniciar nosso debate, objetivando levar o leitor a perceber a ruptura que a geografia já desenvolveu em relação ao paradigma clássico. Essa ruptura efetivamente garante à análise da relação sociedade-natureza um salto qualitativo somente encontrado na ciência geográfica.

2.1.1. O espaço absoluto

Dentro do contexto apresentado pelos postulados da física newtoniana, a idéia de espaço absoluto associa-se ao mecanicismo e ao determinismo. Nesse mundo mecânico, como um grande relógio, Deus era o grande relojoeiro, e cada peça da engrenagem possuía sua função determinada, sendo as mesmas destacadas e substituíveis dentro do sistema formado por diversos fragmentos, que somados constituíam a totalidade, ou seja, nessa lógica a totalidade era representada pela soma das partes constituintes.

A grande máquina possuía uma lógica linear de causalidade, em que, sendo um mecanismo fechado e cíclico, qualquer fluxo sistêmico, se submetido à modelagem matemática linear, obteria uma resposta precisa e exata, conhecida dentro do palco newtoniano. A isso chamamos determinismo físico, e foi desenvolvido por Newton e ampliado exponencialmente pelo Conde de La Place.

Assim, para Newton, o espaço era essencialmente um receptáculo passivo das ações que se dinamizam por meio desse recipiente. Ray (1993) verifica que, no espaço newtoniano, existem as seguintes características: ele é independente, infinito, tridimensional e eternamente fixo e uniforme. Sendo apenas um recipiente fixo e uniforme, suas leis serão sempre imutáveis, fixas e reversíveis, atuando em um espaço constituído por altura, largura e profundidade, como uma grande caixa, na qual as coisas podem ser guardadas e dela retiradas. Nesse espaço, quem dá a mobilidade é quem movimenta a caixa, e não a própria. Szamosi (1988) verifica que, para Newton, o espaço absoluto era independente de qualquer outro aspecto da natureza, permanecendo sempre semelhante e inalterado.

O argumento newtoniano a favor do espaço absoluto pode ser facilmente ampliado de modo a gerar um argumento a favor do tempo absoluto, pois as forças inerciais do planeta demonstram que há uma rotação, e que esta altera as dinâmicas no globo. Assim, a velocidade escalar depende da direção e da velocidade do próprio planeta. As mudanças de direção e, portanto, de velocidade escalar são mudanças de tempo. Mas no espaço vazio não há estrutura material em mutação à qual possa ser atribuída essa mudança; logo, a mudança é relativa a uma estrutura temporal não material, ou seja, ao tempo absoluto (Ray, 1993).

É graças a essa hipótese, que busca descrever a realidade, que cremos que em todo verão haverá calor, e no inverno, impreterivelmente, frio, como se os sistemas ambientais não estivessem constantemente submetidos a mudanças evolutivas.

Em sua análise sobre a utilização dessa idéia na geografia, Bernardes *et al.* (1990) verificam que a noção de espaço absoluto traz a idéia de um elemento passivo, sendo o mesmo um espaço construído em si e apresentando-se como um receptáculo vazio e completamente desvinculado de seu conteúdo.

Ampliando o debate em torno do espaço absoluto, compreende-se também como e por que o homem moderno torna a natureza um elemento à parte, exterior à sua existência, pois a idéia do espaço absoluto, associada à teoria da totalidade como uma máquina, cujos elementos constituem o somatório interno de suas partes, garante ao modo de produção dominante a contínua exploração e transformação dos recursos naturais. Fragmentando a natureza, o modo de produção dominante tem a possibilidade de imobilizar os processos sistêmicos, transformando-os em pedaços da totalidade, e, assim, a exploração de um recurso isolado, ou mesmo um problema ambiental específico, torna-se apenas um elemento a ser substituído, domado pela tecnociência.

O conceito de espaço absoluto em Immanuel Kant
(1724-1808)

Um exemplo da utilização do conceito de espaço absoluto em geografia é encontrado no filósofo prussiano Immanuel Kant.

A importância epistemológica de Kant para a geografia é fundamental ainda em nossos dias, pois muitos geógrafos se utilizam de suas idéias ou de derivações de seus conceitos para fundamentar suas teorias.

A teoria do conhecimento de Kant dividia-se em dois campos distintos: as ciências empíricas e as teóricas. Para ele, ciências de teor puramente empírico, como a geografia, apresentariam grande subjetividade e não um corpo teórico que desse sustentação para esse campo científico. A geografia de Kant resumia-se em uma ciência idiográfica, em que cada lugar pesquisado, por apresentar singularidade própria, não poderia submeter-se a teorias amplas.

Assim, a geografia como ciência estaria confinada ao estudo do fenômeno em si, o que possibilitava a inclusão tanto da intuição como da experiência como método. Esses fenômenos ocorreriam em um local específico, similar a um palco de teatro, conhecido como espaço absoluto. O espaço absoluto que inspira Kant seria fixo, imutável, palco dos eventos e tridimensional, como ensinara Newton, ou seja, era dado *a priori*, isto é, preexistia aos fenômenos.

Em verdade, mesmo que não explicitamente como em Kant, a idéia do espaço absoluto irá atravessar quase toda a ciência geográfica, indo desde autores do século XIX, como Humboldt e Ritter, até a chamada geografia marxista da década de 1970.

Isso ocorre porque a efetiva idéia do espaço absoluto associa-se à própria concepção da lógica e, portanto, da realidade; por isso, as análises regionais, ou mesmo a idéia de diferenciação de áreas, encontrada em quase toda a trajetória geográfica, referiam-se a um espaço imutável e de fácil descrição, fixo e irreversível, no qual os eventos ocorreriam sem a menor interferência no andamento de sua dinâmica.

A geografia e a fragmentação cartesiano-newtoniana da realidade

O conceito de espaço absoluto newtoniano é compreendido dentro da geografia ligado à fragmentação cartesiana, sendo essa tradição associada diretamente à descrição e à construção da própria epistemologia dessa ciência.

Essa noção seria a primeira tradição da geografia acadêmica, que encarna, segundo Smith (1988), os conceitos ortodoxos de espaço geográfico e de meio ambiente, que percebem a realidade espacial como a caixa tridimensional newtoniana.

Vistas através desse conjunto de lentes filosóficas de base física, a reestruturação e a organização espacial aparecem como muitos processos separados, com muitas causas e explicações separadas. Eis o sentido da fragmentação cartesiana, que é usual até os nossos dias e que dá à geografia um sentido de pouca ou nenhuma praticidade.

A fragmentação, que separa, em nosso imaginário, o clima do relevo, o homem da natureza, entre outros fatores, associa-se diretamente à idéia atrelada ao conceito de espaço absoluto. Ela atravessou a história do pensamento geográfico vinculada à descrição dos fenômenos e ao processo de conhecimento das paisagens e das regiões. A esse respeito, Moreira (1993) também verifica que a fragmentação da realidade é o método mais tradicional e de mais longa duração, permanecendo até os nossos dias na geografia. Sua visão do meio natural 'consiste em entender por natureza aquilo que captamos por intermédio dos nossos sentidos e que transpomos para um cunho meramente taxionômico" (Moreira, 1993). Assim, para esse autor, essa visão prende-se ao paradigma clássico, pois, além de outras questões, fundamenta-se na matematização e na evolução da natureza por ciclos puramente mecânicos e fechados.

A partir de nossa idéia fragmentada da natureza, percebemos a totalidade do meio ambiente como um conjunto matematicamente ordenado de corpos, que somados seriam a totalidade ambiental (Santos, 1991). Sobre o assunto, Moreira (1993) nos ensina:

"Vemos a natureza vendo coisas: o relevo, as rochas, os climas, a vegetação, os rios etc. Como o que vemos são coisas isoladas, a natureza é, pois, um sistema todo fragmentado. Então, para dar-lhe unidade interligamos esses aspectos através das suas ligações matemáticas" (p. 1).

A natureza, como um conjunto inerte, inorgânico e, conseqüentemente, mecânico, nos reforça a idéia de domínio e de que a sua instrumentalização utilitária é a resposta inexorável às demandas do progresso humano. A tradição da geografia escolar, resultante dos debates cartesianos, ainda é um dos trunfos da tecnociência, em que a natureza passa a ser um mero objeto isolado em partes distintas e distantes do homem.

Durante a trajetória da ciência geográfica, a construção dessa lógica dinamizou seu alicerce desde antes da própria institucionalização da geografia. É óbvio que essa lógica, inerente à própria concepção da realidade, foi instrumento metodológico para a geografia e esteve presente em autores que não utilizavam o conceito de espaço e que deixaram diferentes seguidores, como Alexander von Humboldt (1769-1859), Karl Ritter (1779-1859), Otto

Schülter (1872-1959), Paul Vidal de La Blache (1845-1918) e Carl Ortwin Sauer (1889-1975),[9] entre outros.

2.2. O espaço na geografia tradicional

Corrêa (2000) lembra que, como na geografia tradicional os conceitos-chave eram paisagem, região natural, região-paisagem, paisagem cultural, gêneros de vida e a diferenciação de áreas, a abordagem espacial era pouco utilizada em face das outras concepções. Porém, é inegável que, mesmo não utilizando o conceito de espaço, as correntes geográficas atrelavam-se à idéia do espaço absoluto newtoniano e da fragmentação cartesiana entre todos os outros processos inerentes ao paradigma clássico. Vidal de La Blache, por exemplo, ao criar seu método, pensava a região como um elemento em que a totalidade era completamente fragmentada para que, posteriormente, o geógrafo pudesse somá-la, encontrando, assim, a identidade de cada lugar pesquisado.

Em sua metodologia, La Blache separava cada elemento natural e social, geologia, solos, clima, aspectos populacionais, econômicos, entre outros. Assim, ele desenvolvia seu método mecanicista, em que a dinâmica da sociedade e suas articulações políticas e socioeconômicas não eram percebidas. Por isso, sua

---

[9] Em suas viagens, Alexander von Humboldt (1769-1859) buscava determinar o teor das relações que encadeiam os fenômenos da vida e da natureza a partir de comparações, tentando demonstrar experimentalmente a harmonia da natureza. A obra desenvolvida por Ritter, de forma diferente da de Humboldt, buscava compreender o estudo das relações entre a superfície terrestre e a atividade humana. A atenção passa a ser dada ao homem, pois, na perspectiva teleológica de Ritter, a natureza existiria com a função de servir ao homem. O ponto de partida de Schulter era a investigação da gênese da paisagem cultural, a partir de sua paisagem natural; assim, ele se utilizava da paisagem natural, em sua perspectiva evolutivo-cultural. Essa perspectiva de análise faria escola dentro dos Estados Unidos, mais precisamente em Berkeley, na Califórnia, com o geógrafo Sauer. Na França, destaca-se o trabalho desenvolvido pelo geógrafo Paul Vidal de La Blache (1845-1918). Em sua análise regional, o geógrafo buscava compreender os gêneros de vida apresentados de cada região estudada.

93

preocupação em descrever a região de forma fragmentada justificava-se em sua frase máxima: "a geografia é a ciência dos lugares, e não dos homens."

De maneira mais clara, dentro da geografia tradicional a abordagem de espaço desenvolveu-se explicitamente nas obras do alemão Friedrich Ratzel e do americano Richard Hartshorne. O primeiro atrelou esse conceito à dominação pelas potências hegemônicas dos recursos naturais das nações com baixo poder tecnológico; o segundo, por sua vez, utilizando-se diretamente dos conceitos newtonianos (kantianos) para sua análise, retomou as teorias que o alemão Hettner havia criado, buscando associar a geografia à análise regional, dando uma identidade para essa ciência.

Outras correntes, como a nova geografia e mesmo a geografia crítica em seus primeiros anos, também desenvolveram teorias que se utilizavam do espaço como um elemento não mutável, estático e que, segundo nossa hipótese, reproduzem a análise do espaço como um processo ligado ao modo de produção dominante.

2.2.1. Friedrich Ratzel (1844-1904) e o conceito de espaço vital

O triunfo do positivismo, garantido pelo êxito das ciências exatas, trouxe um novo rumo que deu credibilidade às teorias sociais, baseadas nos postulados importados das ciências da natureza.

Durante o século XIX, o positivismo constituiu-se em muito mais do que uma metodologia científica, tornando-se uma concepção filosófica do mundo. O sucesso da física newtoniana e do evolucionismo garantiria à sociedade um modelo de certeza e racionalidade em que a observação, sendo a única base possível do conhecimento, anularia qualquer especulação metafísica, pois se sustentava no encadeamento lógico derivado da indução mediante comparações e classificações.

A geografia, transformada em ciência universitária na nascida Alemanha, começou a se manifestar em uma época em que dominavam na Europa as idéias positivistas e evolucionistas. O positivismo, que associava os modelos das ciências da natureza, em especial da biologia e da física, à sociedade, garantiria à geografia a certeza de que seguia o lema: saber para prever.

No caso da geografia alemã, a não-continuidade da obra de Humboldt e Ritter, de forma direta, deixou um grande vácuo, no qual o positivismo pôde penetrar facilmente. Tanto o romantismo como o idealismo começam, assim, a ser repensados e substituídos pelo positivismo. A pretensão de apresentar sínteses globais, como buscou Humboldt em seu *Cosmos* e Ritter em sua *Erdkund,* perderia espaço para investigações empíricas baseadas em observações e no método experimental sem maiores especulações metafísicas. Oscar Peschel (1926-1875), por exemplo, critica abertamente a obra de Ritter pela sua visão teleológica. Iniciava-se, então, uma fase de busca da racionalidade científica, acompanhada de um novo patamar de leis e métodos que justificassem essa procura.

É nesse contexto que, sob a influência de Haeckel, seu antigo professor evolucionista, criador em 1866 do termo *ecologia*, Ratzel sistematiza sua geografia, que tem como problema-chave a relação homem/natureza. Cabia a Ratzel, que antes se preocupava com questões relativas à etnografia, criar leis gerais, dentro dos ideários positivistas, que justificassem os princípios da ecologia evolucionista aplicados à sociedade.

Antropogeografia e o espaço vital: meio ambiente e
positivismo nas bases da teoria do imperialismo

Durante o período em que Ratzel viveu, o uso de analogias orgânicas era comum, pois desde a metade do século XIX esse cotejamento já havia sido generalizado em diversas ciências.

A aplicação da idéia de organismo para as ciências sociais foi realizada em 1813 por Saint-Simon, que afirma que a ciência dos homens não é nada mais do que a ciência generalizada dos corpos organizados. Dentro dessa lógica, Ratzel, que inicialmente havia desenvolvido trabalhos estreitamente ligados à etnografia e à antropologia em sua *Volkerkunde,* desenvolveu teorias baseadas nas interações entre os organismos vivos e o meio ambiente, identificando, assim, a geografia como uma ecologia humana.

Ratzel, propondo uma analogia da relação dos seres vivos com a sua disputa por espaço, associa esse processo ao potencial de cada Estado-nação de garantir seu território em decorrência de seu potencial tecnológico. Na concepção ratzeliana, como o espaço da Terra nunca cresce, ou seja, é finito, ocorre um grande para doxo, que se origina da luta por espaços vitais, pois as nações se desenvolvem economicamente e, logo, tecnologicamente, tendem a querer ampliar seus territórios. Segundo esse autor, para os grupos vencidos a perda de território poderia causar fome, miséria e decadência, como ocorre com os povos africanos e asiáticos. Essa visão, segundo Claval (1999), é a idéia darwiniana da luta pela vida, na qual os Estados são comparados a organismos sempre ameaçados pela falta de lugar.

A partir de sua base biológico-evolucionista, os grupos humanos dependeriam diretamente do ambiente onde estivessem instalados, pois dele surgiria tudo o que fosse necessário para sua sobrevivência, principalmente para os grupos menos evoluídos, que Ratzel chamava de *Naturvolker*, que seriam povos primitivos ainda incapazes de se protegerem de seu meio, de transformá-lo e de dominá-lo. Para esses grupos, a natureza pesaria fortemente, pois poderia representar sua desgraça, seu infortúnio. Esses grupos não possuiriam mecanismos para dominar tecnicamente seu meio natural. Em contrapartida, os povos mais civilizados, conhecidos como *Kulturvolker*, praticariam agriculturas elaboradas, de onde retirariam colheitas abundantes e menos sensíveis a certas vicissitudes do clima e, principalmente, possuiriam um Estado forte, capaz de protegê-los dos inimigos.

A ecologia dava a Ratzel a precisão da existência da interconectividade entre o meio ambiente e os seres vivos; isso justificava que a vida do Estado tinha suas raízes na Terra, dando ao espaço uma conotação orgânica. A espécie vitoriosa, ou a nação mais potente, avançaria sobre os territórios de nações menos potencializadas, que tenderiam a perder seu espaço vital. Justificar-se-ia assim o imperialismo de base darwiniana, em que só os fortes sobrevivem.

Para Ratzel, cada ser vivente está fixado e unido a um espaço específico, e a perda de seu território significaria a pior desgraça para um povo; por isso, o geógrafo alemão demonstrava sua preocupação não apenas com o espaço vital dos povos, mas também com a ocupação dos limites (*Grenzer*) das fronteiras. Esses limites não seriam apenas fronteiras, mas espaços de luta.

O espaço vital passa a ser, então, uma área geográfica onde os povos são representados por Estados que estão acima das classes sociais e que devem defender sua população contra os inimigos comuns. O que potencializaria esses Estados seriam as suas condições naturais e suas atitudes políticas. Ratzel via os povos menos civilizados sem essa grandeza, pois seriam povos que não possuiriam limites fronteiriços fixos, diferentemente dos povos mais avançados, que seriam fixados em fronteiras conhecidas.

A necessidade derivada do progresso das grandes nações lhes possibilitaria avançar além de seus limites, pois Ratzel acreditava que a civilização mais evoluída não poderia ficar limitada por muito tempo a um pequeno território, e, assim como no reino animal de base darwiniana, a luta pelo território estaria relacionada à força e ao poder dos mais fortes. Justificar-se-ia assim não apenas a integração alemã a partir da Prússia, como, principalmente, suas ambições geopolíticas expansionistas.

2.2.2. Richard Hartshorne e a retomada do espaço kantiano

Hartshorne desenvolveu seus trabalhos de 1939 até os anos 60 e baseou sua obra na crítica à dicotomia entre a geografia geral e a regional e aquela físico-humana, propondo um método que englobasse todos esses aspectos e confirmasse a tradição geográfica nos estudos regionais. Esse método regional baseava-se nos postulados kantianos e fundamentava-se nos processos corológicos, ou seja, distinguia a região geográfica a partir da percepção kantiana em uma área específica que pudesse integrar os fatores físicos aos humanos.

À geografia caberia a análise dos diferentes espaços por meio da descrição de cada elemento que caracterizava a singularidade dos lugares nos quais se interconectavam o físico e o humano. Em seu aspecto metodológico, a geografia seria uma ciência de síntese, na qual, sendo o espaço absoluto (imutável e receptáculo), as ações se desenvolveriam em seu interior, dando a essa ciência um aspecto único, de perceber a localização espacial e a sua distribuição.

Como Hartshorne, inspirado em Kant, via as ciências separadas em dois campos – as sistêmicas (nomotéticas) e a história e a geografia (idiográficas) –, ele verificava as especificidades de cada lugar vendo a região como constituída pelas suas inter-relações. Por isso, em Hartshorne, o sujeito apreende o objeto dentro de sua percepção própria, em que, sendo o espaço absoluto um mero receptáculo no qual ocorrem os processos, o mesmo é considerado um simples quadro intelectual, um conceito abstrato que não existe em realidade.

2.2.3. A nova geografia

A nova fase da expansão capitalista, surgida no pós-guerra, envolve maior concentração de capital e progresso técnico, resultando na ampliação das grandes corporações já existentes. Essa nova expansão afeta diretamente tanto a organização social como as formas espaciais.

Essa nova etapa do capitalismo apresenta novas formas geográficas que retratam a difusão de novas culturas, industrialização, urbanização, entre outras relações espaciais, como ferrovias, rodovias, modernizações no campo e novos espaços urbanos. Segundo Corrêa (2002), essa nova dinâmica inviabiliza os antigos paradigmas da geografia, o determinismo, o possibilismo e o método regional; por isso, a nova geografia, que surge em meados da década de 1950, é ideologicamente necessária à expansão capitalista, buscando, ainda segundo esse autor, escamotear as transformações que afetaram a geografia anteriormente fixada, e trazendo também a idéia do desenvolvimento a curto e médio prazos. Santos (2003) destaca que nesse período de expansão do capital as formas geográficas são de fundamental importância para a dominação dos grandes capitalistas, pois aprisionam os países periféricos em seu modelo técnico e científico, subordinando-os às suas perspectivas e às formas geográficas que interessam aos núcleos de poder mundial.

Surgida nos EUA e em alguns países da Europa, a nova geografia adota uma postura que se associa à difusão do sistema capitalista. Essa nova postura ideológica e neopositivista, por meio do emprego de técnicas estatísticas e de modelos matemáticos, propõe a análise geométrica do espaço como um instrumento fundamental de análise da geografia na busca da compreensão dos novos arranjos espaciais surgidos no pós-guerra.

Para a nova geografia, o espaço é visto como uma planície isotrópica, e cada região que a compõe teria sua especificidade descoberta e descrita por teorias matemáticas. Assim, essas regiões ou classes de áreas seriam próprias e descreveriam a atividade, seja humana ou natural, a partir de uma técnica estatística.

Segundo Corrêa (2000), nesse período o conceito de paisagem é deixado de lado, enquanto o de região é reduzido ao resultado de um processo de classificação de unidades espaciais segundo procedimentos de agrupamento e divisão lógica com base em técnicas estatísticas. O espaço geográfico pode ser representado, assim, como uma matriz, e sua expressão topológica, o grafo; nesse mesmo contexto, as regiões são analisadas fragmentadamente a partir das suas características matemáticas, que as definem estatisticamente.

2.3. Outras correntes da geografia

A partir da década de 1970, novas correntes surgem como crítica ao modelo neopositivista do espaço, em que se destacam a corrente humanista e a geografia crítica. A primeira, pela sua riqueza de percepção do espaço, e em sua apreensão o homem é elemento vital, e a segunda, pelas teorias desenvolvidas principalmente a partir da década de 1980, em especial pelo geógrafo Milton Santos, assunto que será de fundamental importância para o nosso debate posterior.

2.3.1. A geografia humanista e o espaço vivido

Em verdade, a corrente humanista da geografia não pode ser caracterizada como uníssona; ela se dimensiona a partir de como seus componentes preferem dimensioná-la. Todavia, busco um esforço de síntese e análise da compreensão dessa corrente, tentando demonstrar como se observam as propriedades pertinentes ao seu conceito de espaço.

O espaço vivido, característico da corrente humanista, relaciona-se com a dimensão da experiência humana dos lugares ou com a maneira como o sujeito percebe o objeto. Essa herança kantiana remete o geógrafo a interpretar toda a complexidade existente em cada região. Por isso, a leitura do mundo real relaciona-se com a subjetividade de como os grupos humanos se organizam em cada espaço específico. O cotidiano tem, assim, sua leitura baseada na intuição obtida, associada à experiência dos habitantes locais.

Dentro dessa leitura, várias dimensões do espaço são pesquisadas, como o espaço mítico e o sagrado. É por isso que essa corrente, que busca valorizar o homem, revaloriza os conceitos de paisagem, lugar e região destacando a essência dos habitantes locais e seu pertencimento a um determinado lugar. O lugar, por exemplo, possui, assim, um espírito, uma personalidade, que se faz sentir na estética e na percepção da região após longa vivência.

A geografia humanista, que engloba as visões da percepção e do comportamento, verifica a postura holística, na qual a totalidade é sempre superior ao somatório de suas partes, e que, portanto, permite ao pesquisador conhecer a eterna evolução do espaço, ou seja, a verificação da mutabilidade constante do espaço a partir da percepção kantiana do sujeito. Dessa forma, o geógrafo interpreta hermeneuticamente a complexidade das diferentes variáveis existentes no espaço.

2.3.2. A geografia crítica

A origem de uma geografia com postura crítica, segundo Corrêa (2002), situa-se no final do século XIX, a partir das propostas dos geógrafos Elisée Reclus e Piort Kropotkin. O trabalho desses geógrafos franceses anarquistas dava ênfase à espacialidade e, como observa Soja (1993), ao coletivismo de base territorial, sugerindo, assim, a necessidade de a sociedade recuperar o controle político e social da produção do espaço. Porém, essa corrente não fez escola, submergindo diante da geografia oficial, vinculada aos interesses dominantes.

Somente a partir da metade da década de 1960, graças ao agravamento das relações sociais nos países desenvolvidos e subdesenvolvidos, ocorre um esboço de uma geografia crítica de base marxista, que se utilizava do materialismo histórico e dialético.

Essa tendência que aflora nos anos 1960, de acordo com Soja (1993), vem sendo construída desde 1918, com o movimento de base marxista, e se cristaliza na teoria marxista pós-clássica, reorientando as interpretações materialistas históricas. Essa tendência, porém, pouco dimensiona o debate em torno da espacialidade, devido à sua base historicista. Assim, para Smith (1988), como a tradição marxista é explicitamente histórica, a geografia, mesmo ganhando historicamente, perde em sensibilidade espacial, talvez, segundo ele, porque os marxistas estariam inclinados a aceitar a concepção burguesa tradicional do espaço, ou seja, a idéia do espaço absoluto.

Mesmo assim, Soja (1993) lembra que as bases no materialismo histórico, como método, e a geografia histórica do capitalismo, como objeto, significavam mais do que um simples levantamento de resultados empíricos ou descrição das restrições e limitações espaciais da ação social ao longo do tempo. A utilização do método crítico é uma reformulação radical da teoria social e envolve toda uma gama de renovações na postura crítica da sociedade.

Somente após os 20 primeiros anos da geografia crítica é que surgem novas teorias que buscam aplicar a base marxista ao espaço, de forma a redimensionar suas análises. Segundo Soja (1993), essa transição ocorre quando alguns geógrafos começam a espacializar o marxismo histórico e, ainda que experimentalmente, inserir a geografia humana crítica no núcleo interpretativo da tradição marxista ocidental. E ao espacializar o debate geográfico, essa corrente desvincula-se de uma análise confinada no processo puramente histórico.

A nova geografia radical, que surge a partir de sua crise na década de 1980, ainda segundo Soja (1993), não se prende diretamente a uma bagagem conceitual fechada e de fácil apreensão, sendo sua característica mais ampla sua vinculação direcionada à espacialização insistente, que desmonta as definições marxistas mais tradicionais.

Ainda de acordo com Soja (1993), a nova construção de uma geografia pós-moderna assume uma multiplicidade de formas e resiste às sínteses simplistas. Nessa nova etapa, tempo, espaço e sua materialização são elementos que estão inextrincavelmente ligados. O chamado meio natural toma um novo relevo, pois, por mais social que seja o espaço geográfico, ele também é manifestadamente físico: é o espaço físico das cidades, dos campos, das estradas e das fábricas. Por isso, Smith (1988) lembra que o espaço físico, por definição, pode ser social.

Segundo Santos (1997b), modo de produção, formação socioeconômica e espaço são categorias interdependentes. Assim, a produção do espaço envolve relações mais amplas, que tendem a abranger a totalidade dos sistemas, sejam econômicos, culturais ou mesmo políticos. Esse envolvimento, que se reflete nas formas geográficas, faz do meio natural local e da sociedade que habita o planeta uma única dinâmica, que se dimensiona em um grande sistema.

Espaço geográfico e sua inerente interconectividade

A intrínseca interconectividade, que remete aos elementos que constituem o espaço, transforma-o em um conceito que desenvolve analiticamente a tendência à sua percepção sistêmica, em que suas variáveis constituintes desempenham um papel ou uma função decisiva na estruturação de uma lógica, de um sistema.

A análise sistêmica desenvolve-se a partir do conhecimento interno de suas variáveis, que, para Santos (1997), são estados ou condições de coisas, mas não coisas por si mesmas. Elas, por se encontrarem interconectadas, variam e mudam, redimensionando o sistema a que pertencem. Sua lógica define-se pela sua complexidade e pela aplicação dessa teoria analiticamente, ou seja, quanto mais variáveis, estados ou condições de coisas podem dimensionar um dado sistema, maior a sua tendência a desenvolver novas plataformas evolutivas, ou seja, a levá-lo a se transformar.

Nessa lógica, cada variável percorre a flecha do tempo redimensionando-se a partir dos fluxos em que esse sistema esteja inserido. Assim, os objetos e os outros elementos constituintes da totalidade alteram-se em suas relações associados à (des)construção do espaço. Como ensina Santos (1997), quando diversas variáveis estão subordinadas ao todo e aos seus movimentos, uma variável acaba atuando sobre outra, sobre um conjunto delas, e conhece uma evolução interna. A visão sistêmica abrange, então, a estruturação da totalidade associada ao próprio espaço geográfico, que se refaz constantemente.

Para Santos (1997), a construção de uma nova totalidade é o seu processo de totalização, mecanismo natural que tende a construí-lo no tempo. Essa construção torna possível compreender que somente pela dinâmica da interdependência dos elementos constituintes do todo e pela sua existência temporal é que se pode compreender que o espaço-tempo traz inerentemente novas construções de totalidade.

De acordo com Karel Kosik (1976), a interdependência e a mediação da parte e do todo significam, ao mesmo tempo, que os fatos isolados são abstrações, elementos artificialmente separados do conjunto e que, unicamente por sua participação no conjunto correspondente, adquirem veracidade e concretude. Dessa forma, a análise das partes como elementos isolados do todo não possui lógica, pois uma totalidade só pode ser compreendida como constituída por diferentes elementos interconectados. E se esses elementos estão associados e submetem-se a constantes dinâmicas de energia, então os mesmos são redinamizados.

A relação causa/efeito, que permite uma simplificação das relações entre elementos, é insuficiente para compreender e valorizar o movimento real. A compreensão da totalidade e de seus elementos constituintes remete a se pensar a totalidade associada ao exame da complexidade dos seus fatores e a examinar estes últimos na análise espacial. A complexidade remete obrigatoriamente à compreensão das inter-relações entre todos esses fatores, tornando difícil separar as suas influências sobre um espaço definido e, assim, dispensando as análises causais lineares – assim como na Teoria Geral dos Sistemas, segundo Santos (1997), as ações externa e interna dos diferentes elementos que constituem a totalidade levam o espaço a se encontrar em evolução permanente. Esse autor exemplifica que uma nova estrada, a chegada de novos capitais ou a imposição de novas regras levam a mudanças espaciais, do mesmo modo que a evolução das próprias estruturas, isto é, sua evolução interna, conduz igualmente a uma evolução. Em um caso como no outro, o movimento de mudança se deve a modificações nos modos de produção concretos. E, assim, ainda segundo Santos (1997), as mudanças ocorridas na dinâmica espacial decorrem de três princípios:

1. O princípio da ação externa, responsável pela evolução exógena do sistema;
2. O intercâmbio entre subsistemas (ou estruturas), que permite falar de uma evolução interna do todo, uma evolução endógena;
3. Uma evolução particular a cada parte ou elemento do sistema tomado isoladamente, evolução que é igualmente interna e endógena.

Ocorrem então três tipos de evolução, um tipo por ação externa e dois outros por ação interna do sistema, devendo-se o último deles ao movimento íntimo, próprio de cada parte do sistema.

Sendo o espaço a acumulação desigual dos tempos (Santos, 1998), então cada momento histórico possui uma determinada forma geográfica e que temporalmente vai se reestruturando, pois cada momento tem um papel e uma posição, em que os elementos devem ser tomados da sua relação com os demais elementos do todo.

Novas organizações espaciais, que hoje ocorrem de forma instantânea e muitas vezes uniformemente pelo globo, são propagadas e desmantelam a organização do espaço anterior. Sendo a dinâmica espacial cada vez mais acelerada e integrada planetariamente, então os fluxos que atravessam o planeta também se aceleram de forma diferente daquelas verificadas em outros períodos históricos.

Por isso, Santos (1997) analisa a organização do espaço como o resultado do equilíbrio entre os fatores de dispersão e de concentração em um momento dado da história no espaço, pois a organização espacial é o conjunto de objetos criados pelo homem e dispostos sobre a superfície da Terra, refletindo uma materialidade social.

A paisagem geográfica resultante seria, assim, o resultado cumulativo desses tempos, diferenciando-se de acordo com a dinâmica em que se insere cada região e, portanto, constituindo um subconjunto que, mesmo se apresentando como uma aparente totalidade, é parte constituinte de um todo maior ou de uma dinâmica sistêmica maior.

Cada tempo possui um conjunto diferenciado de técnicas e de relações produtivas em constante evolução, e, por isso, sendo o espaço o receptáculo e a essência desse processo, o mesmo constitui uma realidade em constante transformação, em coerência com a lógica da sociedade em um dado momento e em um determinado lugar. Florestas, cidades, áreas rurais, cada uma, hoje, reproduz uma coerência sistêmica ou subsistêmica, e todas se influenciam mutuamente, dimensionando um conjunto maior de ações e forças em constante (des)construção. Sendo a totalidade sempre superior ao somatório interno de suas partes, a mesma atravessa constantemente novas dinâmicas, encontrando novas etapas evolutivas, ou seja, novas combinações espaciais.

Associado ao redimensionamento técnico, cada subsistema, internamente, dimensiona fluxos que geram novas realidades espaciais, e, eventualmente, ou ao mesmo tempo, esses subsistemas enviam fluxos para outros subsistemas, interferindo nas suas dinâmicas, levando-os também à totalização e a eventuais novas totalidades. Porém, dentro da lógica atual do mundo globalizado, esses fluxos podem ser dimensionados a longa distância e, muitas vezes, mantendo subsistemas, ou regiões próximas, com pouca ou nenhuma participação nesses eventos.

Apesar disso, a lógica que opera o espaço, mesmo que em ambientes que visualmente apresentem paisagens isentas da ação humana, como as florestas, hoje é pertinente a diferentes redes, que impõem a apreensão de todo o globo e que, portanto, são passíveis de alterações dinâmicas inesperadas e imprevisíveis.

E se a natureza não é mais natural, mesmo que se apresente sob o contexto de uma floresta, pois a mesma, assim como todo o planeta, já está valorada, constitui uma função da organização social do homem e integra-se à dinâmica que envolve a organização espacial, em que a economia, a cultura, o meio natural e os outros elementos da sociedade se interconectam dialeticamente.

É assim que o espaço, sendo a própria totalidade, foge do ideário do espaço absoluto, não se constituindo em uma mera abstração newtoniana, em que os eventos se desenvolvem. O espaço geográfico dimensiona-se interna e externamente como uma teia de inter-relações que une o social ao natural, formando um único elo, dinâmico e complexo.

Se o espaço é a própria totalidade e envolve a dinâmica natural e social, como apreendê-lo? Respondendo a esse questionamento, o geógrafo Milton Santos apresentou ao mundo as categorias que compõem o espaço: forma, processo, estrutura e função. Cada uma delas apresenta uma dinâmica própria em uma inerente interdependência, devido à sua interconectividade.

As formas são o aspecto visível, exterior de um objeto, mas que pode ser visto tanto isoladamente quanto como um conjunto das mesmas, formando uma espécie de padrão. Inerentes às formas geográficas encontram-se as formas-conteúdo, ou seja, seus componentes internos que, logicamente, possuem uma relação dialética com a própria forma e seu processo de (des)construção.

As formas possuem uma capacidade intrínseca de estar em constante mutabilidade, superando a idéia do espaço absoluto; assim, o espaço dimensiona-se pelas formas, que se modificam constantemente pela capacidade interna de suas variáveis se dissiparem a partir dos fluxos externos e internos (processos e funções), que modificam as estruturas que internamente compõem o conteúdo inerente às formas.

O tempo, ou o processo de dissipação, é uma propriedade fundamental na relação entre forma, estrutura, processo e função, pois é ele quem se associa à flecha do tempo, ou, como ensina Santos (1997), é ele quem indica a passagem do passado para o presente. As formas, assim, associam-se ao tempo em sua dinâmica, que se liga com a relação de como a sociedade se dinamiza espaço-temporalmente. Um exemplo clássico é a transformação do Brasil rural-agrícola no país urbano-industrial das décadas de 1940, 1950 e 1960, quando as formas são necessariamente transformadas para responder à lógica do capitalismo e de seus fluxos de então.

Segundo Santos (1997b e 1997c), a forma não reproduz os postulados positivistas, pois não é um elemento geométrico imutável. Para o autor, elas também não correspondem ao ideal lablachaiano do somatório das paisagens, pois estão em constante mutabilidade. Assim, Santos (1997b) descreve que as formas, como as suas formas-conteúdo, estão em constante mutabilidade dialética, alterando também o conteúdo, que ganha, então, um novo papel na intrincada relação não linear que possui.

A função é a atividade ou o papel desempenhado pelo objeto, ou seja, é a categoria que reflete as formas em sua organização. No caso do exemplo apresentado, as novas funções do Brasil urbano industrial seriam, por exemplo, produzir bens de consumo duráveis e implementar sua indústria de base. De maneira diferente, em séculos passados, o país era meramente agroexportador. Assim, observa-se que as formas relacionam-se diretamente com suas funções, e elas dimensionam e podem alterar as formas geográficas.

A estrutura, por sua vez, diz respeito à natureza social e econômica de uma sociedade em um dado momento do tempo: é a matriz social em que as formas e funções são criadas e justificadas (Santos, 1997b). Desse modo, a estrutura está intrincada com a maneira como as formam se apresentam como uma totalidade e, assim, repercutem em todas as possibilidades oferecidas pelas funções e pelos seus respectivos processos.

O processo é a ação realizada visando a um resultado específico e, como afirma Corrêa (2000), implica o tempo e mudanças. Processo é a estrutura em transformação, e nessa imbricação que envolve as categorias espaciais Santos (1997b) verifica que somente a relação que existe entre as coisas possibilita conhecê-las e defini-las.

Nessa dinâmica, os elementos ou estruturas do espaço em rede submetem-se a fluxos internos e externos, por isso se mantêm em estado de mudança a partir dos processos e, muitas vezes, das alterações das funções. De forma similar, Prigogine e Stengerls (1984) afirmam que as estruturas submetidas a processos termodinâmicos dissipam suas estruturas, levando à mutabilidade do conjunto por auto-organização ou caos.

Santos (1997b) observa que a evolução constante das estruturas do espaço relaciona-se aos constantes fluxos internos e externos: uma nova ferrovia, a imposição de novas regras (preço, moeda, impostos etc.).

Os processos em si, que se relacionam às funções, podem ser entendidos pela Teoria Geral dos Sistemas como fluxos de energia e matéria que geram dinâmicas ao espaço, que podem auto-organizá-lo, portanto. Nesse caso, as formas podem mudar radicalmente, dependendo da velocidade que lhes é imposta pelo conjunto de variáveis, que também conta com o processo produtivo e envolve a natureza em suas especificidades. A dinâmica permitida pela aplicação da Teoria Geral dos Sistemas e das teorias não lineares ao espaço geográfico representa a possibilidade de se perceber nitidamente sua dialética e como a totalidade não age fragmentadamente, integrando tudo e todos.

Kosik (1976) ainda observa a abstração apresentada pela idéia de totalidade, sempre se refazendo e buscando novas etapas em evolução.

É por isso que o espaço é fugaz, impreciso, imprevisível e apresentável sob a capa do espaço-tempo, não como metáfora, mas como categoria analítica. Por isso, a totalidade apresenta-se em uma pseudoconcretude, desmanchando-se e reencontrando-se, ou seja, o espaço, que se confunde com a própria totalidade, é fugaz e delicadamente frágil em sua construção (Kosik, 1976).

Isso é possível se percebermos a interdependência da relação das partes com o todo, de forma que as propriedades das partes só possam ser conhecidas a partir da própria dinâmica da totalidade. Como ressaltam Capra e Steindl-Rast (1991), não existem partes, pois aquilo que consideramos partes é um padrão em uma teia intrincada de relações (Santos, 1997c).

De acordo com Santos (1997b), a dinâmica que envolve as partes e o todo associa-se ao sistema-mundo e ao modo de produção. O autor ressalta ainda que esse processo não pode ser percebido de maneira causal e linear, posto que, devido à sua grande interconectividade e aos seus fluxos não lineares, foge a essa metodologia de análise. A esse respeito, o autor comenta:

"As ações entre as diversas variáveis estão subordinadas ao todo e aos seus movimentos. Se uma variável atua sobre uma outra, sobre um conjunto delas ou, ainda, conhece uma evolução interna, isso se dá com pelo menos dois resultados práticos, que são igualmente elementos constitutivos do método. Em primeiro lugar, quando uma variável muda seu movimento, isso remete imediatamente ao todo, modificando-o, fazendo-o outro, ainda que ele constitua uma totalidade. Sai-se de uma totalidade para se chegar a outra, que também se modificará. É por isso que, a partir desse impacto 'individual', o todo termina por agir sobre o conjunto dos elementos, modificando-os. Isso nos permite dizer que, na verdade, não há relação direta entre elementos dentro do sistema, exceto de um ponto de vista puramente mecânico ou material. O valor real, isto é, o significado dessa relação, é somente dado pelo todo" (p. 15).

3. A auto-organização inerente ao espaço geográfico

A complexidade[10] do atual sistema globalizado se expressa nitidamente no descontrole organizacional a que o sistema capitalista se submete constantemente. O sistema capitalista torna-se, assim, refém de seu próprio panóptipo, de sua cela, de sua prisão, pois se garante na possibilidade da previsibilidade como elemento crucial e teórico em suas análises e planejamentos positivistas.

Sistemas complexos, como a atual dinâmica da economia-mundo globalizada, só podem ser pensados à luz das teorias da auto-organização, pois suas variáveis são expostas constantemente à imprevisibilidade, devido à sua complexidade, ou seja, ao grande número de variáveis que atuam conjuntamente no espaço e levam a caminhos não lineares, e que podem caracterizar-se pela previsibilidade zero.

Essa dinâmica não leva à emergência imediata de uma nova ordem no sentido positivista, porém a todo um novo ordenamento que traz em si o teor de uma grande desordem, que levará à reestruturação-organização do sistema, impondo-lhe uma nova ordem que se auto-organiza.

Prigogine e Stengerls (1984 e 1997) observam que em um sistema em desordem uma nova etapa de evolução surge se auto-

---

10 Segundo Morin (1977), complexidade não é confusão, e sim uma combinação de elementos dispostos sistemicamente e que geram, por auto-organização, novos patamares constantes de complexidade por sintropia.

organizando por sintropia. Nesse processo, suas estruturas internas dissipam-se com a presença de um novo fluxo que o penetra, buscando constantemente um novo patamar de evolução. Santos (1997) verifica que a evolução da totalidade ocorre durante o processo de totalização, gerando sempre um novo patamar de organização, pois se subentende que a totalidade é sempre maior do que a soma interna de suas partes, ou seja, não há determinismo clássico físico em que um evento retorna à sua origem, pois a cada etapa evolutiva surge um novo patamar de complexidade.

Por serem direcionados por probabilidades, os sistemas podem ser relativamente direcionados, porém a auto-organização é intrínseca e muitas vezes caótica,[11] gerando fluxos imprevisíveis e improváveis.

Devemos lembrar que o atual estágio de acumulação capitalista é também um sistema possuidor de diversas variáveis que se combinam constantemente, gerando novos patamares de organização. Essas variáveis são históricas e fincaram suas raízes no espaço dentro de patamares do ordenamento positivista cartesiano-newtoniano, que por isso mesmo não está preparado estruturalmente para suportar a emergência da imprevisibilidade e do descontrole propiciado pela auto-organização não determinística e da possibilidade de interconectividade dentro da diversidade.

A partir dos diferentes fluxos que o envolvem, o espaço geográfico atual é submetido constantemente a diversas redes materiais e imateriais, e a processos e funções distintas que fazem seus elementos serem mutantes, em que a ação e os objetos combinam-se sistemicamente, refazendo padrões de organização a partir de interconectividades de escalas que envolvem o internacional com o local.

Essa loucura de fluxos em diferentes escalas direciona o ordenamento territorial e sua dinâmica, porém, na sua essência, o

---

11 No sentido da Teoria do Caos.

sistema capitalista é um gerador contínuo de entropia e baseia-se na idéia de que o seu desarranjo provocado será constantemente recompensado pela utilização de energia advinda do seu próprio ambiente. Para os sistemas capitalistas, baseados na segunda teoria da termodinâmica, sob tais condições o sistema dissipa entropia, aumentando o seu retorno para o ambiente e, dessa maneira, pode permanecer estável, sem mudanças, pois detém seu controle (Camargo, 2003).

Porém, um sistema pode também absorver tão grande quantidade de energia de seu ambiente que se torna capaz de dissipar mais entropia do que é produzida por ele. A neg-entropia acumulada pode ser expressa como crescimento, reprodução ou evolução de novas estruturas internas (Camargo, 2003). É um princípio de mudança, pois ocorre em estado de auto-organização como fruto dialético da contradição capitalista, em que forma, processo, estruturas e funções são os elementos-chave da mutabilidade e da volatilidade do espaço geográfico.

Em outra situação, lembrando que o bater de asas de uma borboleta na Amazônia brasileira pode provocar um tornado no deserto do Texas (ou em Wall Street), com o aumento constante da complexidade um fluxo caótico pode acontecer não apenas no nível dos subsistemas, mas, no nível macro, em que as mudanças serão abruptas e inesperadas e, segundo a Teoria do Caos, imprevisíveis.

A estabilidade aparente do atual sistema capitalista não indica que ele esteja estático, pois as forças controladoras do mecanismo a que se submete a economia-mundo apresentam variações de intensidade e freqüência, levando as redes a reagir, buscando reequilibrar-se continuamente para garantir o ordenamento dentro dos padrões desejáveis para as grandes organizações. Ao absorverem o impacto das constantes forças que atuam na mecânica dos fluxos, as redes e seus agentes podem não alterar e alienar suas características internas, mantendo-se em um aparente equilíbrio, sendo considerado estável à medida que apresenta uma menor flutuação. Dessa forma, como lembra Prigogine (1996), a instabilidade não pode ser associada apenas a um aumento de desordem, pois o desenvolvimento da dinâmica do não-equilíbrio mostra que a flecha do tempo pode ser uma fonte de ordem. A instabilidade pode levar tanto à ordem quanto à desordem. É a tentativa de manipulação das estruturas internas do sistema que garante ao capital sua estabilidade e seu poder.

Porém, quando um sistema sofre modificações irreversíveis, nascidas de mecanismos caóticos ou auto-organizados, atravessa um processo de reajustagem. O reajuste se faz, então, na busca de um novo estado de equilíbrio; nesse estágio, ocorre a mutabilidade evolutiva, quando a resistência e a resiliência são rompidas e o sistema não tem mais possibilidade de recuperação. Nesse processo, evidencia-se a mudança do padrão de organização, em que as estruturas que se dissiparam saíram de um estado de ordem por interações, atingindo a desordem e uma nova organização; aí se manifestam o descontrole, a dialética, o paradoxo e o domínio (Prigogine, 1996; Camargo, 1999, 2000 e 2003; Christofoletti, 1999).

PARTE III

A dinâmica espaço-temporal e sua importância na construção dos sistemas geográficos

"O espaço é a acumulação desigual dos tempos."

Milton Santos

Em nossos dias, alguns autores, percebendo a inerente inter-conectividade existente entre as variáveis que constituem um sistema, desenvolvem postulados geográficos que redimensionam a noção de espaço-tempo. Para Massey (1999), por exemplo, tempo e espaço nascem juntos, frutos dos processos que são desenvolvidos de acordo com a relatividade do espaço, que ocorre em um determinado tempo.

Observando essa afirmação de forma prática, podemos verificar, por exemplo, Casseti (1994), que analisa os fenômenos da natureza, percebendo que cada processo de análise geográfica apresenta um ritmo específico, que depende da interação entre o clima, a vegetação, as estações do ano etc. Para esse autor, como cada região, ou lugar geográfico, apresenta um conjunto específico de variáveis que atuam em interação, então cada uma terá uma resposta espaço-temporal específica.

Cada sistema que compõe uma determinada paisagem apresenta um tipo específico de relação, o que determina a relatividade espaço-tempo em diversas escalas, demonstrando que existe diversidade na unicidade e que o lugar geográfico apresenta-se com diferentes especificidades espaciais e temporais que interferem e (in)determinam sua complexidade.

Por isso, Prigogine e Stengerls (1997) afirmam que o futuro está em constante construção, pois sua flecha do tempo apresenta uma série de bifurcações que trazem a constante criatividade e imprevisibilidade. Segundo esses autores, desde a época de

Boltzman, a flecha do tempo foi relegada ao domínio da fenomenologia. O desenvolvimento da física do não-equilíbrio e da dinâmica dos sistemas instáveis, associados à idéia de caos, traz a revisão da noção de tempo, tal como é formulada desde os tempos de Galileu.

A física do não-equilíbrio estuda os processos dissipativos, caracterizados por um tempo unidirecional, e, com isso, confere uma nova significação à irreversibilidade que ocorre dinamicamente no espaço, em um contínuo de interação, onde o espaço e o tempo se integram na flecha descontínua da evolução dos processos.

Sendo o espaço um elemento não estático, não é fragmentado no tempo, não constituindo um sistema fechado e estando em constante construção na sua relação com o espaço-temporal (Massey, 1999).

Deve-se ressaltar que a geografia é a única das ciências humanas que leva em conta os aspectos físicos do planeta (Mendonça, 1998). Como o espaço é uma construção social, compreendê-lo como uma arena de relações que envolvem a natureza e suas contradições torna-se mais próximo a partir de uma análise não fragmentada e que perceba o espaço-tempo como um só lençol não euclidiano. Por isso, a redinamização da sociedade significa o redimensionamento do meio natural (Greene, 2001).

No desenvolvimento de seu trabalho, Massey (1999) observa também que a compreensão das questões planetárias, e assim espaciais, vai além da percepção geométrica bidimensional, necessitando de uma maior análise que envolva a relação espaço-tempo como um conjunto integrado. Para a autora, o espaço e o tempo podem ser considerados conceitos relativos baseados na teoria da relatividade de Einstein, possuindo como processo inverso a concepção fragmentada de espaço e tempo, que verificava uma rígida epistemologia que a dicotomizava e em que a sociedade e a natureza eram vistas como processos analisados separadamente.

1. As economias-mundo e a relatividade do espaço-tempo sob uma perspectiva capitalista

A própria construção do sistema capitalista deu-se pelo constante redimensionamento do espaço-tempo, onde em cada etapa um determinado conjunto de variáveis ligou-se a uma realidade. O desenvolvimento de técnicas e suas conseqüências diminuindo as distâncias e o tempo de produção, por exemplo, refazem constantemente o espaço-tempo, criando novas lógicas proporcionais a esse mecanismo.

Na construção do sistema capitalista, cada etapa de sua evolução possuiu um determinado patamar, onde o espaço e o tempo eram únicos; esse mecanismo derivava de como cada etapa se estruturava e organizava. Assim, à medida que nos primeiros tempos de capitalismo uma região era incorporada ao modo de produção citado, possuindo uma dinâmica sistêmica compreendida como sistema-mundo capitalista por incorporar seus processos, estruturas e funções internamente.

O sistema-mundo ou economia-mundo nasce com a própria gênese do sistema capitalista em sua inerente onda de processos e funções, dinamizando as estruturas e as formas. Ele inicialmente compreendia as antigas regiões do Mediterrâneo, onde se praticava o capitalismo, e, à medida que se expandia, ampliava-se o próprio sistema-mundo capitalista.

A idéia de economia-mundo emerge na dinâmica que envolve as nações perante as transações econômicas, os intercâmbios, os processos produtivos e as atividades que inserem qualquer país na grande rede mundial. De acordo com Ianni (1995), o conceito de economia-mundo é entendido como uma economia do mundo globalmente considerado – o mercado de todo o universo –, compreendendo a economia de uma porção do nosso planeta, desde que forme um todo econômico, como, por exemplo, o mar Mediterrâneo no século XVI, que por si só era uma economia-mundo. Na definição conceitual, Ianni (1995) verifica três realidades:

1. Ocupa um determinado espaço geográfico, tendo, portanto, limites, que a explicam e que variam, embora bastante devagar. De tempos em tempos, com longos intervalos, há mesmo rupturas inevitáveis. Foi o que aconteceu em 1689, quando, na Rússia, Pedro, o Grande, se abriu à economia européia;

2. Uma economia-mundo submete-se a um pólo, a um centro, representado por uma cidade dominante, outrora um Estado-cidade, hoje uma grande capital econômica (nos Estados Unidos, por exemplo, Nova York, e não Washington). Aliás, podem coexistir, e até de forma prolongada, dois centros em uma mesma economia-mundo;

3. Todas as economias-mundo se dividem em zonas sucessivas. Há o coração, isto é, a zona que se estende em torno do centro; por exemplo, quando, no século XVII, Amsterdã dominou o mundo; posteriormente, quando a Inglaterra, a partir de 1780, suplantou definitivamente Amsterdã.

Ao ampliar espacialmente seu mecanismo, o capitalismo ampliou também sua dinâmica sistêmica. Seu tempo, embebido na metáfora de que tempo é dinheiro, realizou-se pelas regiões por onde se propagou, referenciando-se como verdade e alijando as populações locais de suas próprias referências culturais.

A metáfora de que tempo é dinheiro, a partir da expansão técnica, possibilitou à rede sistêmica capitalista criar em determinadas regiões geográficas uma velocidade e, em outras, uma diferente maneira de o tempo se manifestar. Assim, grandes metrópoles, onde o tempo busca a maximização dos lucros, possuem, empiricamente, uma dinâmica espaço-temporal, e outras regiões que não se adequarem a essa lógica encontrarão um processo temporal diferenciado.

A expansão da economia-mundo e de seu espaço-tempo pelo globo acompanhou, segundo Santos (1997b), cinco etapas que se sucedem no tempo, onde cada uma equivale a uma sucessão de sistemas que se modernizam e, portanto, que redinamizam o tempo de produção e a velocidade das distâncias percorridas pelos processos ligados à extração, à produção e ao consumo. Esses períodos são:

1. O período do comércio em grande escala, que vai do fim do século XV até mais ou menos 1650;
2. O período manufatureiro que vai de 1650 até 1750;
3. O período da Revolução Industrial, que vai de 1750 até 1870;
4. O período industrial, que vai de 1870 até 1945;
5. O atual período tecnológico.

Estradas de ferro, navios a vapor, portos modernizados, entre outros fatores, trarão novas paisagens que dinamizarão a organização do espaço a partir da inserção de novas técnicas no território (Santos, 1997a). A cada nova inserção técnica, esta remodelará os processos e, assim, a paisagem, podendo também interferir nas antigas funções e estruturas, assim como nas formas que refletiam a antiga lógica. O novo espaço interferirá em como se dinamiza o tempo ligado ao processo de produção.

A nova lógica temporal de cada região geográfica tanto estará nas formas como será elemento de redinamização das mesmas.

Isso é possível porque as categorias que compõem o espaço – processo, função e estrutura – terão nas formas geográficas seu referencial e, assim, responderão a elas. Uma delas, os *agrobusiness*, por exemplo, terá estruturas que responderão a essa forma, assim como seus processos e suas funções também.

Se analisarmos o caso dos *agrobusiness* em seu passado, verificaremos que, ao longo da estruturação do seu processo técnico, o mesmo foi sofrendo diferentes alterações em sua forma geográfica e, conseqüentemente, em sua forma-conteúdo. Na metade do século XIX, quando, segundo Santos (2002), deu-se o início do período técnico no Brasil, os chamados complexos rurais eram compostos por fazendas que construíam tudo aquilo que fosse necessário ao seu processo produtivo. Com o avanço do meio técnico até os dias atuais, esse mecanismo foi sendo alterado e alcançou dinâmicas ligadas não apenas ao advento técnico, mas também à redinamização dos processos e das funções por que passou. Assim, suas estruturas foram sendo reformuladas, ou radicalmente alteradas, para alcançar as novas necessidades dos processos e das dinâmicas pedidas pelo processo produtivo.

Hoje, os *agrobusiness* funcionam em rede, interconectados globalmente; sua área de produção rural, segundo Graziane (1998), tende a receber das indústrias e dos grupos empresariais que lhes dão suporte elementos cruciais para a produção, como tratores e insumos, entre outras questões, como o próprio suporte político necessário na guerra dos mercados globais.

Cada fase do sistema-mundo, ligada com o próprio avanço da técnica, apresenta uma dinâmica espaço-temporal própria; por isso, os atuais *agrobusiness* são a própria história do desenvolvimento da técnica inserida em diferentes fases do sistema-mundo, que dimensionou e dimensiona-se em diferentes espaços e dinâmicas do tempo que acompanham as formas espaciais.

Dessa maneira, dentro da totalidade sistêmica, cada lugar é uma combinação quantitativa e qualitativa de vetores, mas que, porém, associam-se a uma rede maior, que é a economia-mundo. Essa totalidade, que muda ao longo do tempo, gera também mudanças na superfície terrestre em decorrência de como se organiza e se estende pelo globo. Vista desse modo, a escala é um limite e um conteúdo que estão sempre mudando ao sabor das variáveis dinâmicas.

Assim, o global e o local interconectam-se mantendo as características do local mesmo sob a influência dos processos mundiais. Cada local é uma combinação própria de eventos ligados a uma determinada forma geográfica, criando, assim, um fenômeno unitário que dá a característica própria à região ou ao lugar e que também possui a participação de fluxos externos que interferem nessa rebelião de variáveis.

1.1. A internacionalização do capital e a expansão de novas relações espaço-temporais

Com a configuração fronteiriça delimitando a área de ação do Estado-nação, associado ao seu grau de inserção na economia-mundo, no século XX, as transformações na ordem política e econômica mundial tornam-se estreitamente relacionadas à internacionalização do capital, que vem ocorrendo desde 1945 (Santos, 1991).

A internacionalização do capital inicia-se com o fim da Segunda Guerra Mundial, quando o sistema capitalista retoma sua expansão pelo Ocidente e parte do Oriente, afirmando sua hegemonia técnica e política nesse espaço geográfico, levando aos poucos o planeta a se transformar, a partir da dinamização da economia-mundo, em um cenário ligado ao processo de internacionalização do capital (Santos, 1991; Ianni, 1995).

Simultaneamente, o planejamento das formas geográficas torna-se elemento fundamental para se entender a teoria sistêmica, pois, ao induzir formas geográficas em culturas que anteriormente não atendiam a esses processos, o capitalismo vinculou essas regiões aos seus interesses. É assim que Santos (2003) demonstra que as formas geográficas vinculam regiões específicas a funções e processos que se prendem em rede ao mecanismo de produção global capitalista.

Como essência da internacionalização, o capital vai perdendo gradualmente sua característica nacional, adquirindo uma conotação internacional. Esse processo ocorre graças aos movimentos, aos fluxos e às formas de reprodução do capital, que começam a acontecer em escala internacional, além de permanecer no âmbito nacional. Isso é possibilitado pela reestruturação jurídica e econômica que os países passam a adotar, visando a modernizar seu território. Aos poucos as transnacionais vão adquirindo liberdade em face das limitações impostas pelos Estados nacionais e uma maior autonomia diante da antiga legislação dos países (Santos, 1991; Ianni, 1995).

Para a efetivação desse processo, as formas geográficas tornam-se elementos cruciais, pois é a partir de sua manipulação que o controle do território se realiza, tendo em vista que através das formas geográficas se concretiza o domínio ao se impor um determinado espaço-tempo.

Dentro dessa perspectiva, Santos (2003) verifica que, a partir do ordenamento através das formas, seguindo um processo ideológico, os grandes grupos econômicos consolidam seu poder sobre o território, ampliando o laço de dependência das economias periféricas. Assim, atrelado a um mecanismo próprio técnico-científico ligado ao modelo capitalista de produção, cria-se um contexto temporal que se impõe sobre as nações periféricas, ligando-as ao espaço e às formas geográficas capitalistas, que necessariamente irão trazer a ditadura do tempo globalizado.

O papel do planejamento/gestão na organização do território representa, assim, a articulação de como o poder se mobiliza em torno de interesses perniciosos a partir de sua promiscuidade com o Estado. Segundo Santos (2003), o planejamento faceou a intromissão das economias centrais com uma grande brutalidade e rapidez nos países periféricos e semiperiféricos, facilitando, assim, a entrada do grande capital nessas nações.

Essa penetração se deu a tal ponto que, hoje, como observa Guatarri (1999), essas nações se encontram à beira de uma grave crise de desestruturação moral, econômica e social. O processo de tutelamento que essas nações sofrem, ligado ao ordenamento burguês, representa a busca da padronização, a transformação de valores ligados à identidade regional, a desestruturação das nações e de seus espaços territoriais e o compromisso faustiano[12] dos seus governos com entidades organizacionais que nada ou pouco têm a ver com os interesses locais.

Na estruturação da internacionalização do capital, encontramos o planeta transformando-se em uma grande empresa global, onde se intensifica e se generaliza o processo produtivo, subordinando o mercado, a força do trabalho, o planejamento governamental e toda a ordenação do território a essa nova onda de expansão das grandes empresas capitalistas pelo planeta.

Surge um novo sistema-mundo, que difere das antigas economias-mundo, pois abrange todo o planeta, impondo-lhe uma dinâmica global única em um espaço-tempo próprio e em constante evolução. A nova estrutura global começa, aos poucos, a buscar um princípio legislativo (jurídico-político), sociocultural e ideológico que abranja todo o planeta. Assim, a ideologia do consumo capitalista é efetivada pelo monopólio dos meios de comunicação, exercido pelos grandes grupos que propagam a informação pelo globo. Esses grupos podem moldar as verdades e modificar a realidade aos seus interesses (Dolffus, 1994).

---

12 Refiro-me a *Fausto*, de Göethe.

Na nova dinâmica, o Estado e seu aparelho, por meio de seus órgãos, administrativos ou não, acompanham as constantes reordenações do processo produtivo e também da dinâmica da economia-mundo, impondo, assim, sua velocidade. Esse fator faz com que, pouco a pouco, ocorram processos de desestatização e flexibilização, entre outras tantas demandas da economia-mundo. É nesse particular que pouco a pouco o capital vai se internacionalizando e, paulatinamente, assim como um polvo, penetrando seus tentáculos na antiga ordenação do Estado-nação, reordenando seus interesses e tornando-os compatíveis com a volatilidade imposta pelo sistema-mundo, determinando uma organização espaço-temporal proporcional à dinâmica desse período. As organizações transnacionais, associadas aos interesses dos países capitalistas dominantes e das agências governamentais, vão aos poucos forjando diretrizes que determinam os rumos das nações subordinadas, tendo no Fundo Monetário Internacional e no Banco Mundial os agentes dessa interconectividade (Santos, 1994).

1.2. Globalização, espaço geográfico e o meio técnico-científico informacional

Com a falência do modelo fordista e sua substituição pelas práticas de produção flexíveis associadas à ampliação da informática, aos processos neoliberais e ao mecanismo de globalização dos mercados mundiais, uma nova percepção da acumulação efetiva-se no território nacional. É a nova fase do período tecnológico.

A crise do fordismo desencadeia um novo processo econômico e espacial, levando o capitalismo a repensar seus modelos. Segundo Benko (2002), Hardt e Negri (2001), o fordismo aparece com perda de velocidade, entravado em seu impulso pela conjunção de uma crise de eficácia e de um esmorecimento de legitimação, pois a cadeia de produção enclausura-se na sua rigidez, não mais respondendo às necessidades da evolução do mercado.

Benko (2002) e Castells (1999) verificam a emergência de uma nova perspectiva de processo produtivo, que na busca da restauração do lucro gera o aprofundamento das relações capitalistas, levando o capital cada vez mais a se associar com a pesquisa e a informação. Na busca da restauração do lucro, fez-se mister um processo de produção em que o mercado fosse atendido com maior velocidade, menos rigidez e maior compromisso com a pesquisa, no intuito de adequar capital, produtividade e lucratividade.

Assim, redefine-se a importância de adequar a produtividade a um modelo mais flexível de produção, em que novas tecnologias surgiriam gradativamente, ampliando a velocidade e a competitividade entre os agentes econômicos mundiais. A crise estrutural fordista sucumbe, assim, a uma nova economia, que irá redinamizar não apenas o processo de produção, porém todo o espaço geográfico em sua concepção maior de abrangência.

Castells (1999) lembra que a nova economia, ligada à emergência das grandes redes globais, associa-se a um novo paradigma tecnológico, gerando uma descontinuidade histórica, pois se direciona às novas tecnologias da informação, mais flexíveis e poderosas, que integram todo o globo. Na nova economia, a produtividade e a competitividade de suas unidades (sejam empresas, regiões ou nações) dependem basicamente de sua capacidade de gerar, processar e aplicar a informação baseada em conhecimentos adquiridos pela pesquisa.

Essa dinâmica global, na qual o grande capital transnacional não respeita barreiras territoriais, subordinando as nações aos ditames da tecnologia, implica diretamente, como afirma Benko (2002), o controle internacional capitalista dos locais de produção, que devem adequar-se às necessidades tanto da velocidade como do processo de produção. Sendo, como define Benko

(2002), mobilidade a palavra-chave do mundo pós-fordista, a função do Estado torna-se de crucial importância nessa reorganização da paisagem e da dinâmica espacial, pois é ele quem garante ao capital as formas geográficas e os processos necessários em tornar o território competitivo.

Nasce, assim, uma nova dinâmica espacial e temporal, associada a uma economia global que se estrutura em diversas escalas de redes, que atravessam todo o planeta em fluxos *on-line* e que não mais respeitam fronteiras e desejos locais. Santos (2000) associa esse processo à subordinação das nações a um único modelo técnico de economia internacional, que funciona mascarado pela ideologia do caminho único em nome do progresso e do desenvolvimento das nações e de seus povos.

Ao alcançar o estágio supremo da internacionalização do capital e da ampliação da economia-mundo para todo o globo, consagra-se, segundo Santos (1998), a globalização da economia. Nesse sistema-mundo, a internacionalização do capital, que vinha ganhando terreno, principalmente após a Segunda Guerra Mundial, alcança todos os lugares e todos os indivíduos em diferentes graus, inserindo diferentes povos e suas economias locais em uma mesma perspectiva de mais-valia.

A organização do espaço segue, então, uma nova lógica de ordenamento territorial, na qual a ampliação da competitividade entre as empresas e uma nova representação do espaço-tempo ocorrem. Nesse sentido, a tecnologia aproxima as distâncias, em que sistemas *off-line* podem ser substituídos por mecanismos que facilitam o encontro virtual nas infovias, proporcionando sistemas *on-line*.

A partir de então, governar torna-se não planejar, como afirma Souza (2003), porém buscar gestões que respondam à inerente velocidade das transformações, que submetem o espaço à grande volatilidade de trocas e a totalizações cada vez mais constantes.

Desorganizam-se estruturas para reordenar novas realidades espaço-temporais constantemente. Nesse mecanismo, ordem e desordem ganham um certo sentido de intencionalidade, porém que pressupõe uma constante ingovernabilidade, devido ao aumento de fluxos e interesses constantes em que se interpõe o espaço organizacional ao social, tendendo, assim, à geração constante da desordem, o que pressupõe, segundo as Teorias da Auto-Organização e da Complexidade, uma nova organização de elementos que, dispostos sistemicamente, se reorganizam.

2. Reordenamento das formas geográficas pelo espaço-tempo capitalista e suas conseqüências na relação sociedade-natureza

A análise espacial encontrada na geografia crítica permite repensar, à luz das novas teorias, a dimensão territorial e planetária de forma interconectada, percebendo seus fluxos e sua dinâmica rede em um espaço geográfico que se organiza atualmente por um sistema-mundo globalizado, e que envolve todos os recantos do planeta, pois, com o advento de uma sociedade mundial, também o espaço se tornou mundial (Dolffus, 1994; Santos, 1997c).

As atuais redes globais permitem diferentes configurações de formas espaciais, que encontram multivariadas mutabilidades ocasionadas por diversos fluxos mundiais estabelecidos pela sociedade. O que antes era isolado torna-se uno; sociedade e natureza compõem, assim, uma só dinâmica, na qual o processo produtivo envolve e é envolvido pela organização espacial. Nesse contexto, a interconexão dos diferentes sistemas espaciais, a partir de seus fluxos, envolve o planeta, reorganizando-o constantemente na velocidade estabelecida pelo conjunto do sistema-mundo e pelas interconectividades regionais, proporcionando velocidades específicas locais.

Proporcionado pela velocidade imposta ao espaço geográfico, as formas alteram-se permanentemente, associadas às dissipações internas de suas estruturas, levando os processos a se sucederem dentro de um conjunto de funções que, acompanhando a dinâmica, também não se mantêm estáveis.

O tempo capitalista que se associa ao sistema-mundo torna-se, assim, o tempo das multinacionais, dos fluxos de capital e de mercadorias. Essa dinâmica do tempo, relativo ao processo produtivo, perfaz um conjunto descontínuo pelo globo, onde cada território, região ou lugar possui suas estruturas variáveis que, interconectadas, encontram uma determinada velocidade na mutabilidade do espaço, criando e recriando novas e constantes formas geográficas (Santos, 1997b).

Castells (1999) observa que o advento da atual revolução tecnológica associa o espaço mundial a uma nova economia, em que o processo informacional liga-se à própria competitividade e à produtividade, seja de empresas, regiões ou nações. Nesse contexto, uma gigantesca rede global descreve trajetórias territoriais próprias, diferenciando e excluindo países e regiões que não tenham completo ou parcial domínio sobre a técnica (Santos, 1998 e 2000; Castells, 1999; Santos, 2000).

Essa dinâmica que envolve todo o planeta, transformando até áreas preservadas em reservas do capital, pode verificar, na rede mundial, caminhos diferentes, descrevendo velocidades diferenciadas, em que cada lugar é um subsistema próprio e articulado com o todo. E, dessa maneira, os lugares em si possuem uma determinada organização específica do seu espaço-tempo.

Cada subsistema, assim, representa um universo de variáveis que se combinam e dimensionam processos específicos. As formas serão, então, relacionadas tanto às funções desenvolvidas quanto aos processos em diferentes escalas de análise. Cada subsistema irá integrar uma grande rede mundial atrelada ao modo de produção, dinamizando a velocidade dos fluxos espaciais, seja em regiões preservadas ou não. Nesse mecanismo, o tempo de cada região geográfica é próprio, pois cada área possui um determinado conjunto de variáveis que se interconectam e interagem em uma dinâmica própria.

Corroborando essa hipótese, Drew (1994) verifica que a influência do homem sobre o meio ambiente é relativa, pois está desigualmente distribuída pela superfície terrestre, apresentando uma classificação muitíssimo generalizada na Terra, que varia por níveis de domínio ou de relações do homem sobre o seu meio, onde em cada lugar geográfico existe um tipo de relação que envolve a sociedade e seu meio natural.

Por isso a dinâmica de cada subsistema é relativa à maneira como seus processos se dimensionam pela sua organização estrutural, onde cada subsistema possui uma dinâmica espaço-temporal própria, mas que pode ser alterada quando, por exemplo, novas funções redimensionem seus processos internos, o que indicará novas formas, onde as formas-conteúdo serão revistas à luz dessa nova totalidade.

Verifica-se, assim, que em cada região específica dimensiona-se um emaranhado complexo de variáveis que caracterizam essa área. Dessa maneira, ao participar tanto dos fluxos externos quanto de seus próprios fluxos, cada lugar dimensiona-se especificamente em um contexto próprio, verificado no seu mecanismo espaço-temporal. Porém, por pertencer a uma grande rede que também o convoca para participar da festa do sistema-mundo, de onde pode receber vetores, o lugar integra-se no tempo que lhe é direcionado, dimensionando seu espaço a partir dessa relação dialética.

Esse processo pode envolver diferentes áreas, como, por exemplo, uma área preservada, como uma reserva florestal, ou reserva de recursos para a especulação capitalista. Essas áreas fazem do planeta um gigantesco caleidoscópio, no qual cada região geográfica possui sua própria essência, sendo a mesma tanto imposta como auto-organizada internamente, em decorrência de suas características externas e internas.

Em sua dinâmica sistêmica, esses lugares se inter-relacionam em fluxos constantes, que os atravessam, interferindo em suas formas geográficas. Essa troca interna e externa, na qual os vetores se auto-organizam, atua em diferentes escalas, que vão desde interferências em macroescala até interferências em escalas menores.

A apropriação de cada território pelo seu modo de produção vigente encontra respostas similares tanto no espaço geográfico como em suas estruturas internas, diferenciando seus processos e suas funções. Assim, em uma aldeia Yanomami, a imposição da cultura sobre o meio natural é específica e recebe respostas também únicas.

Assim também a emergência do modo de produção capitalista, associado ao processo de globalização, apresentará suas conseqüências no espaço-tempo, redefinindo as formas e seu conteúdo. Essas interferências vão desde a maneira como uma chuva fina interfere no mecanismo erosivo em uma área agrícola até aquela como gases poluidores agem em uma região industrial, transformando sintropicamente seu equilíbrio atmosférico.

A Terra, sendo um imenso sistema subdividido em pequenos sistemas, possui um intenso fluxo de energia e matéria. Entendendo a integração que envolve a sociedade e a natureza, que formam, assim, o sistema Terra, Demek (1978) propõe que existe um grande fluxo de energia e matéria que envolve toda a dinâmica planetária globalizada, em que o social, o econômico, o cultural e o natural tornam-se unos.

Uma interconexão em pequena escala forma, assim, um sistema, ou um subsistema; suas respostas, no espaço-tempo, poderão ser enviadas a outros subsistemas, então estendendo o sistema e gerando uma nova resposta, que irá atravessar outros sistemas, e assim sucessivamente, até atingir o grande sistema planetário.

Nessa perspectiva, incorporam-se também diferentes interconectividades, que envolvem o homem e a natureza, ou melhor, que demonstram como cada lugar e sua sociedade se relacionam com o meio natural, logo encontrando respostas específicas para cada subsistema e, em rede, para os sistemas subseqüentes.

Se aplicarmos aqui teorias como a do caos, na qual a metáfora de que o bater de asas de uma borboleta na Amazônia brasileira pode provocar um tornado no deserto do Texas, verifica-se a importância do conhecimento de cada relação social com o seu meio. Porém, também, podemos verificar que as relações de cada sociedade com seu meio natural, dentro da grande rede de fluxos internos e externos, *feedbacks* e auto-organizações sistêmicas, respondem diretamente ao estado de como o modelo produtivo e técnico se estrutura.

Assim, nessa dinâmica sistêmica, que confunde a imposição da cultura dominante associada com as culturas locais, a natureza sofre as conseqüências do estabelecimento de formas geográficas direcionadas pelo modelo técnico hegemônico.

Essas formas geográficas, que se integram à natureza, porque impõem seu estilo a ela, representam, hoje, a própria conquista do modelo dominante sobre o meio natural, significando que a sua desnaturalização está contida em suas marcas. Porém, no passado, quando a natureza era inteiramente natural, havia uma diversificação da mesma em estado puro. Nesse estado, suas metamorfoses derivavam de suas energias naturais, desencadeadas, segundo Santos (1997a), em um primeiro momento, anterior à autonomia derivada da técnica, em que o homem era subordinado à natureza, mesmo sendo um criador. À medida que as invenções técnicas evoluem, vai aumentando sua autonomia e amplia-se o espectro da natureza socialmente construída.

Dessa maneira, em nossos dias, no processo de desenvolvimento humano, não há separação entre o homem e a natureza. Hoje, mesmo áreas aparentemente naturais estão incorporadas ao processo social, tendo em vista que a realização concreta da história não separa o natural do artificial, o natural e o político, onde a paisagem cultural vai substituindo, assim, a paisagem natural (Santos, 1991, 1997, 1997b).

A partir da relação do homem com o meio, contínua e intrincada, verifica-se que mesmo as áreas menos habitadas, ou mesmo as reservas naturais, a partir da interconectividade dos sistemas, sejam hídricos, atmosféricos ou outros, estão também ligadas à grande teia planetária, onde o processo de produção impõe uma determinada velocidade do tempo ao espaço, representando uma variável fundamental na (re)ordenação local.

Após dimensionar o tempo e sua relação com o espaço, o homem e sua cultura redinamizam a natureza, impondo-lhe uma velocidade de trocas e de descontinuidade não linear, a partir de seu processo produtivo.

Nesse processo, Altvater (1995) comenta a grande desigualdade de industrialização existente no planeta, verificando que cada espaço geográfico possui uma diferente demanda de produção e de inserção na natureza. Essa inserção relaciona-se à função produtiva de cada país, ou território, dentro da sua divisão local e da sua característica na divisão internacional do trabalho (DIT).

Altvater ressalta ainda que o moderno sistema capitalista depende dos recursos naturais em uma escala de demanda jamais vista. Essa velocidade de imposições à natureza associa-se à velocidade das trocas que os sistemas naturais recebem da organização espacial-econômica local e/ou global. Isso ocorre em decorrência de o comércio presidir à instalação dos processos produtivos, e não à razão pela lógica do meio natural (Santos, 1997).

Nessa lógica, como verificam Bernardes *et al.* (2003), sob o processo de acumulação, o capitalismo deve expandir-se continuamente para sobreviver como modo de produção, ocorrendo a apropriação da natureza e sua transformação em meio de produção em escala mundial. Essa dinâmica espacial desenvolve uma teia complexa de relações, em que ocorre a acumulação, que se desenvolve a partir da coerência de cada lugar em relação à sua possibilidade de receber um determinado aparato técnico-científico, e assim se referenciar à maximização esperada pelos investidores e pelos organismos e agentes que atuam no espaço.

O atual estágio do capitalismo possui, segundo Bernardes *et al.* (2003), uma singularidade que se materializa na alteração do espaço físico na condição de valor de uso e de valor de troca, gerando uma dinâmica do mercado em torno do próprio espaço, dinâmica essa que inclui a produção de bens materiais e a adequação do meio ambiente circundante às necessidades sociais. Nesse caso, podemos também refletir sobre a valoração capitalista imposta às áreas de florestas, ou mesmo a reservas naturais e também sobre o seu valor especulativo diante das demandas da biodiversidade no mercado global.

Esse processo de intervenção sobre o meio natural tem seu início com a própria história do homem na Terra e, como já foi visto, cada vez mais torna o meio natural uma natureza humanizada, seja no tocante à sua transformação em área de investimento ou de especulação, seja com relação à intervenção do homem sobre esse meio natural.

Assim, por exemplo, levando em consideração a interconectividade que caracteriza as partes constituintes do conjunto Terra, quando, pela primeira vez, há sete ou nove mil anos, o homem alterou com suas ações locais a atmosfera através da derrubada de florestas, a semeadura e a irrigação, as mudanças climáticas resultantes foram praticamente imperceptíveis. Porém, nos dias atuais, essa dinâmica encontra novas posturas geográficas, intervindo em diferentes áreas com uma magnitude mais ampla.

Hoje, a técnica, ao intensificar seu domínio sobre a natureza, seja tirando as riquezas da Terra, seja estruturando a cultura humana sobre o meio físico, tem provocado uma intensa e radical mudança no andamento dos sistemas naturais; logo, ao se pensar na cultura humana redimensionando os processos naturais e assim dialeticamente revendo posturas sociais, percebe-se como o meio social e o meio físico estão interconectados.

Drew (1994) observa dentro dessa perspectiva que uma das características da Terra é a interdependência das partes que formam o conjunto. A conexão é geral, de forma direta ou tênue, sendo impossível compreender qualquer aspecto isolado sem referência à sua função como parte do conjunto do mundo.

A percepção dessa dialética remete a quando, ao se produzir uma segunda natureza, o homem passa por novos fluxos sistêmicos e por novas dinâmicas.

A interconectividade, que estrutura os elementos constitutivos do espaço geográfico, toma, assim, uma dinâmica que integra o social ao natural, ou seja, ao geográfico. Cada tempo de produção imposto a uma região também influi e interfere na dinâmica do meio natural, que, por sua vez, liga-se com as reações naturais nos sistemas locais e muitas vezes externos.

Nessa interconectividade, pequenos laços sistêmicos atuam em conexão, como, por exemplo, a construção de uma casa que altera o meio pelo simples fato de substituir um trecho de grama ou de floresta por um bloco de concreto, madeira e vidro. O clima circundante alterará os solos e sua vegetação respectiva, o que redundará em alterações sucessivas no clima local. O telhado conduzirá as águas da chuva, diferentemente do que faria a vegetação nativa. Neste exemplo, as modificações introduzidas no ambiente foram em grande parte involuntárias e, aparentemente, tão reduzidas que se diriam insignificantes.

Um prédio, por exemplo, altera o microclima, significando que as áreas urbanas representam uma assembléia de milhares de climas locais sobrepostos, criados pelas estruturas. Um único edifício modifica muito dos parâmetros climáticos, ainda que em escala diminuta (Drew, 1994). Em outra escala, uma guerra nuclear desencadearia, provavelmente, uma alteração brusca dos fatores de organização planetário que se encontram interconectados. Porém, essa visão pode decorrer do simples cartesianismo, que não verifica que uma rede interconectada é interdependente e se desenvolve unissonamente, em que o pequeno pode alterar toda uma macrodinâmica.

Por isso, tanto a atividade agrícola como a industrial estão alterando gradativamente a composição da atmosfera, por aumentar a quantidade de componentes que interconectam seus fluxos em um processo interativo, em que os mesmos agem sobre os solos, a vegetação e sobre todo o meio, dimensionando um espaço-tempo específico e apresentando variáveis próprias, responsáveis pela movimentação de sua dinâmica.

A nova organização espacial, dimensionada pelo processo de globalização que estrutura os territórios nacionais e as regiões de acordo com suas especificidades, transforma cada vez mais o planeta em um sistema interconectado, no qual milhões de tipos de fluxos viajam em cada canto do globo.

Gera-se, assim, um sistema único que pela sua inerente interconectividade integra natureza e sociedade em todos os subsistemas globais; dessa forma, constrói-se uma nova totalidade a partir dos processos que dinamizam o sistema-mundo, levando a natureza em todas as suas escalas a sofrer as conseqüências evolutivas dessa dinâmica.

Nesse contexto, as escalas locais e globais se integram e, dessa forma, o processo evolutivo, derivado dos diferentes vetores e fluxos em rede, faz da evolução ecológica do planeta um só mecanismo, no qual se integram as conseqüências do modelo produtivo à dinâmica ambiental.

PARTE IV

O processo sistêmico aplicado ao espaço geográfico: a dinâmica social criando o novo

"Nada é permanente além da mudança."

Heráclito de Éfeso, 540-480 a.C.

Quando nas primeiras décadas do século XX os cientistas se depararam com o movimento quântico do elétron, uma grande surpresa se descortinou aos seus olhos, rompendo com toda a lógica conhecida até então. O movimento circular perfeito esperado pelos cientistas foi substituído por um elétron que fugia à previsibilidade não apenas em sua trajetória, mas também em sua aparência e forma.

O elétron encontrado apresentava a incerteza como elemento básico em seu deslocamento, podendo encontrar dimensões inimagináveis, apresentando geometrias não poligonais em seu movimento, sendo em alguns momentos onda e, em outros, partículas.

A incerteza desse movimento trouxe à ciência moderna a possibilidade de superação do conceito clássico determinístico, em que, pelo seu aspecto positivista e newtoniano, a ordem é a norma.

Da mesma maneira, para muitos geógrafos, perceber a mutabilidade não linear que envolve os sistemas geográficos é fugir de sua própria lógica, é negar toda a sua coerência; por isso, a resistência a fenômenos, como a imprevisibilidade, o acaso e a evolução não cíclica, significa, para muitos, ter de reconstruir toda uma bagagem de conceitos e de verdades.

Mas o espaço geográfico, por sua vez, pela sua inerente interconectividade, apresenta constantes mutabilidades e formas geométricas não poligonais (disformes) associadas à construção de

143

novas totalidades. Essas manifestações, que, como no mundo quântico, ocorrem ao acaso, são frutos das estruturas internas que, ao se dissiparem como resultado de suas interações, criam o novo por meio dos processos e das funções que, como vetores, deslocam-se pelo espaço, interferindo em diferentes sistemas.

Portanto, as formas geográficas são companheiras permanentes do seu conteúdo interno: os processos, as estruturas e as suas funções, pela sua interconectividade dialética, constituem as formas-conteúdo. A essência espaço-temporal dessa lógica sistêmica é a eterna reconstrução de novas totalidades ao longo do tempo. Assim, a flecha do tempo prigoginiana aplica-se à idéia moderna de organização do espaço geográfico.

1. Aplicação das categorias espaciais à organização do espaço geográfico

As atividades que envolvem respostas catastróficas causadas pela ação humana são processos notórios que, devido à sua constante ocorrência, tornam-se conhecidos do senso comum; porém, muitas vezes, as respostas dadas pela ciência clássica a respeito dessas questões, aparentemente, não têm conseguido explicá-las, perdendo-se em compreensões simples que abrangem a linearidade que envolve a causa e os seus possíveis efeitos.

Um outro exemplo que dimensiona a análise clássica e que remete a erros epistemológicos é a análise que, em geral, é feita pela ciência oficial da recente ocupação da Região Norte do Brasil. Sabe-se que o processo de ocupação dessa região tem causado diferentes tipos de conseqüências ambientais.

Segundo a conferência científica ocorrida em julho de 2004 na Amazônia, que procurava debater as questões relacionadas aos problemas ambientais da região, a substituição da Floresta Amazônica por cultivos agrícolas e pastagens está afetando a bacia hidrográfica do rio Amazonas, causando graves conseqüências em substâncias como nitrogênio, fósforo, cálcio, magnésio e potássio. De acordo com as análises feitas que comprovaram empiricamente esse processo, o experimento em grande escala da biosfera-atmosfera da Amazônia revela que a destruição da floresta afeta a composição bioquímica do rio Amazonas, ao menos em sua parte central, o que pode provocar alterações em sua biodiversidade.

Esse congresso concluiu inicialmente que existe uma interação muito grande entre o rio e o uso do solo. Mas será só isso?

Aplicando nossas hipóteses ao caso da região amazônica, verifica-se que a derrubada de árvores, a mineração, a construção de estradas, a perda de diferentes tipos da biodiversidade levam a novas organizações de padrões interconectados, em que diferentes processos desenvolvem-se buscando estados de sintropia.

Nesse sentido, a análise ultrapassaria as fragmentações surgidas de processos isolados, como a mineração e suas conseqüências, devendo ser encaradas a partir da interconectividade dos seus processos específicos em cada área-região (semi-)isolada para seu estudo. Em verdade, cada região em destaque, sendo um subsistema, é também uma forma geográfica, que se modela pelos seus fluxos externos, que penetram nessa sub-região a partir de seus processos e funções e também de seus elementos internos, que dimensionam a relação da sociedade com o meio natural local, ou seja, de sua organização espacial.

Cada subsistema, sua dinâmica espaço-temporal e suas variáveis dimensionam-se por uma totalidade, formando em sua inerente dialética outra forma geográfica. Assim, o modelo técnico associa-se a uma galáxia de variáveis, que constroem uma forma-conteúdo própria, direcionando, assim, processos e funções que envolvem a estrutura momentânea.

Dentro da rede global, as formas, ao apresentarem propriedades locais em relação à dinâmica da totalidade, podem se expressar como situações espaciais radicalmente diferentes e que irão trazer conseqüências proporcionais às redes e à sua articulação tanto interna como externamente.

Dois casos, que se cotejados podem expressar essa nova lógica da economia-mundo, podem ser expressos, por exemplo, pela cidade de Xangai, na China, e uma cidade pequena que apresente um baixo índice tecnológico. Ambas as lógicas irão verificar vetores que representarão fluxos que atuam em rede, mesmo que em diferentes escalas e apresentando maiores ou menores índices de relações.

Nas remanescentes áreas rurais que não acompanharam o desenvolvimento técnico-científico e que, por isso, mantiveram suas antigas formas geográficas, os fluxos globalizados pouco ou nada interferem em sua dinâmica pelo simples desinteresse do capital em relação a essas áreas. Assim, essas formas, por se manterem relativamente isoladas das grandes redes globais pouco participam do tempo capitalista e do seu modelo de desenvolvimento. Essas unidades, que ainda existem no Brasil e que, em geral, são regiões periféricas às cidades de pequeno porte, caracterizamse pela ausência de eletricidade, de saneamento básico, de sistema odontológico e de tratamento de água, pelo transporte precário, pelo comércio dependendo normalmente de cidades próximas e pela quase-inexistência de postos de saúde, que normalmente estão localizados a grandes distâncias e com precariedade de médicos. Em geral, o rádio de pilha é o contato dessa população com o mundo externo.

Assim, no Brasil, diferentes áreas localizadas na periferia de pequenas cidades organizam-se como áreas rurais, onde a agricultura de subsistência e o sistema de roça[13] são a realidade. Essas comunidades dependem diretamente da produção de arroz, feijão e, principalmente, milho, bem como da criação de aves e porcos, garantias de sua dieta alimentar. Nesse sentido, a gordura animal substituiria a geladeira, pois essas comunidades não possuem eletricidade e outros benefícios conquistados pelo desenvolvimento técnico-científico.

Esse modelo de desenvolvimento remete à dependência da comunidade local em relação à natureza: muito sol e frio ligado a

---

[13] O sistema de roça caracteriza-se por ser lavoura que se utiliza da queimada.

geadas tendem a secar as plantas; muitas chuvas podem matá-las. O tempo local não dinamiza a velocidade da flecha do tempo prigoginiana, ligada aos fluxos globalizados, logo não ocorrem grande sintropia e o desmanche das antigas funções em relação às antigas estruturas e aos seus processos, e assim confirma-se a manutenção das formas pretéritas. Como esse espaço onde se desenvolve a relação da sociedade local com seu meio natural não possui grandes dinâmicas que possam alterar seu padrão de organização, então esse subsistema constitui uma totalidade, na qual seus elementos internos se mantêm em relativa estabilidade.

Em outro extremo dessa dinâmica encontramos a China, país que atualmente mais tem crescido em todo o planeta e que, por isso, se vê enroscado cada vez mais nas redes de articulação do mundo globalizado. A política adotada pelo Estado em abrir cidades capitalistas (Zonas Econômicas Especiais), associada à atração de investimentos externos, tem feito de algumas cidades verdadeiros mosaicos espaciais de um caleidoscópio em constante movimento.

Em seu espaço interno, constantemente novos prédios e indústrias são erguidos, ao mesmo tempo que estruturas antigas são destruídas. Devido à grande velocidade *on-line* que envolve o processo de globalização do planeta, e sendo a China um dos seus grandes agentes, seu mecanismo sistêmico apresenta grande volatilidade espaço-temporal. Nessa dinâmica, antigos objetos de engenharia envolvem-se com novos prédios, além de integrarem-se à presença de objetos que surgem à espera de novas ondas tecnológicas.

Nesse caso, a cidade de Xangai seria um exemplo para o mundo, pois seu crescimento exponencial desenvolve-se relacionado à dinâmica do mundo globalizado devido à própria inserção da China nesse processo, ou seja, sendo uma cidade de destaque dentro do contexto nacional, Xangai apresenta grande mutabilidade em sua forma-conteúdo. Como seus processos internos e suas funções dinamizam-se em relação à construção constante do novo, então, à medida que as estruturas se reformulam, as formas geográficas mudam também sua geometria. E como Xangai cresce abruptamente, logo novas funções e processos ligam-se à reestruturação de suas estruturas reformuladas por fluxos externos inseridos em novas redes de vetores, e, assim, as formas-conteúdo serão alteradas em velocidades proporcionais à inserção dessa região nos mecanismos de globalização.

Levando-se em consideração que 7 das 10 maiores cidades mais poluídas do mundo estão na China, o que inclui Xangai, então a reformulação das formas geográficas ganha um sentido mais amplo na sua relação com o meio natural local. A relação dessas regiões com o seu meio interconecta diferentes tipos de associação que envolvem o sistema integrado meio natural e a sociedade e que acompanham a velocidade das constantes transformações. Efeito estufa, processos erosivos, excesso de dióxido de carbono, entre diversos problemas ambientais conhecidos, dimensionam-se nessas cidades de maneira diferenciada de outros lugares, obtendo respostas também diferenciadas. Por isso, a interconectividade que essas formas e seu modelo de desenvolvimento proporcionam ao meio natural encontrará respostas na evolução dos sistemas de forma também interconectada e, provavelmente, proporcional à velocidade de suas alterações.

Mesmo sabendo que a Teoria do Caos nos alerta de que, às vezes, pequenas variáveis podem alterar radicalmente dinâmicas sistêmicas causando conseqüências gigantescas, a sintropia encontrada pelas inter-relações de variáveis nos sistemas complexos tendem a participar ativamente da transformação e do surgimento do novo. Em decorrência, a mutabilidade espacial, em situações como a de Xangai, percorrerá a flecha do tempo, dinamizada pela velocidade globalizada, em busca de respostas sintrópicas.

A cidade é o *locus* da produção, e é nela que se inserem e são experimentadas as evoluções técnicas, fruto da pesquisa científica.

149

Imagine o sistema de luz elétrica a cada nova remodelação sendo inserido dentro de um grande centro como Xangai, ou Rio de Janeiro. Quantos fluxos são envolvidos dentro desse processo? Esses fluxos dimensionam-se por países que, muitas vezes, são as sedes dos grupos que mantêm a empresa de eletricidade ou de algum outro serviço atrelado a esse mecanismo. A extensão da rede alcança diversas regiões geográficas por onde os vetores de eletricidade deslocam-se, além, é claro, da fantástica rede de capital, que se desloca, movido por essa facilidade dos últimos séculos e que dirige as vidas da pós-modernidade.

Esse mecanismo torna cada casa, empresa, restaurante, bar, rua ou avenida um escravo desses serviços prestados à população. Assim, se pensarmos a cidade de Xangai e todas as suas possibilidades, verificaremos que inúmeras redes a cortam de forma diacrônica e inusitada, fazendo dela um local subordinado a um tipo de modelo técnico específico. Uma área rural, como o exemplo citado, por sua vez, possui respostas sistêmicas que decorrerão de mecanismos espaço-temporais completamente divergentes dos grandes centros, e que enviarão fluxos externos que pouco dinamizarão os sistemas vizinhos e que em seu interior, normalmente, não irão transformar suas formas geográficas.

Logo, a forma geográfica e seus conteúdos possuirão um tipo de organização proporcional ao seu mecanismo organizacional. Assim, cada forma geográfica possuirá uma resposta única dimensionada pela sua auto-organização sistêmica.

Por isso, dependendo do processo estabelecido em cada lugar, ocorrerá também uma possibilidade de respostas específicas e proporcionais a essa dimensão. As formas geográficas, como conseqüência de um padrão de organização socioeconômica, trarão também respostas específicas à maneira como traçamos nossa evolução sistêmica. O trato social envolvido em sua percepção da realidade constrói o amanhã e suas prováveis conseqüências sistêmicas.

Dessa maneira, quando um sistema que envolve a ação da sociedade com seu meio natural encontra-se estável e, portanto, suas variáveis estão em estado de equilíbrio dinâmico, essa região estará em ordem (aparente). Se esse local sofrer interferências externas e fluxos dinâmicos internos de grande magnitude, o sistema poderá encontrar os seguintes estados: resistência, resiliência, rompimento, reajuste, sensibilidade, suscetibilidade e vulnerabilidade.

Essas respostas aos mecanismos dinâmicos, e que envolvem a maneira como se organiza cada espaço geográfico, são assuntos a serem desenvolvidos em nosso livro, pois este irá fornecer dados que serão de suprema importância para o fechamento de nossas hipóteses. A região geográfica, sendo o *locus* de diferentes relações sociais e naturais integradas, é um subsistema que apresenta sua identidade própria de acordo com seus elementos internos e seus fluxos, assim como o planeta Terra constitui-se em um macrossistema, onde toda uma série de vetores se verifica. Pela sua interconectividade, o sistema Terra, bem como os subsistemas componentes de seu conjunto, submetem-se também à auto-organização constante.

O próximo item visa a debater as possíveis possibilidades de (des)organização dos sistemas expostos a constantes fluxos internos e externos.

2. Dinâmica dos sistemas

Os conceitos não mecanicistas buscam respostas que vão além da idéia do somatório das partes, pois as teorias do campo holístico suscitam a idéia da construção da metáfora de uma rede interconectada. No paradigma cartesiano-newtoniano, as partes constituem-se em estruturas fundamentais, blocos não integrados. Sua interação ocorre por intermédio de forças e mecanismos que agem como cola, sem perceber a totalidade. Essa etapa faz das fronteiras, muitas vezes, linhas tênues, porém não interconectadas (Capra e Steindl-Rast, 1991; Capra, 1996; Camargo, 1999).

Nessa concepção, a dinâmica do todo poderia ser compreendida a partir das propriedades das partes; porém, com as concepções pós-cartesianas, as propriedades das partes só podem ser entendidas a partir da própria dinâmica do todo, constituindo, assim, um padrão em uma teia inseparável de relações, em que as parcelas internas, ou suas estruturas, mantêm sua identidade ou sua própria característica desenvolvida por sua história (Capra e Steindl-Rast, 1991; Capra, 1996; Camargo, 1999).

Pelas perspectivas clássicas, uma lei da natureza está associada a uma descrição determinista e reversível no tempo. A introdução da idéia de sistemas caóticos e auto-organizados rompe fundamentalmente com a antiga concepção, pois traz em si uma nova consideração a respeito das leis da natureza que agem nos sistemas da Terra. Nas novas concepções, os sistemas apresentam uma flecha do tempo e a irreversibilidade ligada à auto-organização (Prigogine e Stengerls, 1984 e 1997; Prigogine, 1993 e 1996).

A dinâmica de um sistema aberto suscita então alguns processos que são de fundamental importância na análise de um conjunto sistêmico. Esses processos estariam relacionados às constantes dinâmicas de fluxos internos e externos de energia e matéria a que se submete um sistema aberto, e que interferem no comportamento interno de seus componentes, levando ou à manutenção do mesmo por resiliência e resistência, ou à geração de novos padrões de organização irreversíveis.

Se levarmos em consideração essa interconectividade inserida dentro da organização volátil do espaço geográfico, perceberemos a inerente integração dos níveis local e global que, como ensina Santos (1997), acontecem conjuntamente, em que o acontecimento se inclui em um sistema para o qual atrai o objeto que ele acabou de habitar. O acontecimento é a cristalização de um momento da totalidade em processo de totalização.

Nesse contexto, os demais acontecimentos levados pelo mesmo movimento inserem-se em outros objetos no mesmo momento. O conjunto em que esses acontecimentos acontecem pertence à totalidade e, assim, eles são conectados e se explicam entre si. Cada evento é um fruto do mundo e do lugar ao mesmo tempo.

2.1. Abordagem sistêmica – princípios e conceitos fundamentais

Como se estrutura internamente a totalidade? Dentro de uma abordagem sistêmica, verificam-se, em uma primeira análise, os seguintes conceitos fundamentais: conjunto, elemento, relação, todo e organização. Esses processos em si já caracterizam uma identidade não cartesiano-newtoniana para a Teoria Geral dos

Sistemas, o que evidencia uma abordagem metodológica também diferente e que, segundo Maciel (1974), serve para ressaltar o caráter interdisciplinar da Teoria Geral dos Sistemas (Maciel, 1974; Capra, 1996).

Os conceitos de todo e de organização sugerem que o pesquisador irá se defrontar com questões relativas a: simplicidade x complexidade, linearidade x não linearidade, unidade x multiplicidade, ordem x desordem, entropia x neg-entropia, determinado-causal x indeterminado, uniforme x multiforme, restrito x arbitrário (Maciel, 1974).

Para Haigh (1985), a partir da análise da aplicação dos sistemas em geografia verifica-se que um sistema é uma totalidade criada pela integração dos seus componentes que não se desassociam Assim, sugere, baseado na leitura de Prigogine e Stengerls (1984 e 1997) e Prigogine (1993 e 1996), alguns princípios de análise para um sistema:

1?) Estrutura da totalidade ou do espaço geográfico – Os elementos de um sistema são indissociáveis, exceto por dissecação. Essa irredutibilidade emerge da integração dos componentes do sistema. Todos os sistemas podem ser definidos por estruturas formais, criadas por aglomeração dos elementos. Aqui se percebe a interconectividade inerente aos sistemas e a não-fragmentação cartesiana encontrada na análise mecanicista da natureza;

2?) Princípio da identidade do sistema – Cada sistema possui uma identidade específica, seja ele um subsistema ou a sua rede integrada; assim, uma região ou um lugar geográfico. Essa identidade contém um certo estado de equilíbrio, que possui o presente, o passado e o futuro. Dessa forma o espaço dimensiona-se em suas partes como subsistema, preservando uma certa identidade que o caracteriza, e em que sua paisagem identifica suas atuais estruturas organizadas. Nos sistemas complexos, o equilíbrio pode ser preservado pelas estruturas internas do sistema (regulação homeostática, *feedback* negativo e armazenagem de energia). Os sistemas complexos apresentam características de auto-regulagem (auto-organização) que, ao modificar a identidade dos elementos, apresentam qualidades diferentes do seu meio ambiente original, criando uma nova identidade. Nesse processo verifica-se que os sistemas, após sofrerem modificações irreversíveis, também alteram sua identidade, encerrando, assim, o princípio da construção de novas totalidades espaciais a partir de dinâmicas construídas por diferentes vetores;

3°) Autocriação/auto-organização – É a capacidade dos sistemas de "se autocriarem" em resposta às mudanças. Essas mudanças envolvem novas estruturas e novas funções. Por meio de fluxos de massa e energia com o meio geográfico, os sistemas abertos e as formas, ao se auto-organizarem, podem ser profundamente afetados por outros sistemas, o que interfere no fluxo original dos mesmos, causando distúrbio energético no conjunto, forçando-o a readaptar-se. É importante lembrar que um sistema se organiza quando se encontra na margem da estabilidade. Durante a instabilidade, as estruturas complexas se dissipam por entropia, encontrando ao fim uma nova sintropia (Prigogine e Stengerls, 1984 e 1997).

Christofoletti (1999) observa que o estado crítico é um atrator da dinâmica, significando que o estado de criticalidade auto-organizada é estacionário, uma vez que, se alcançado, não se modificam as propriedades estatísticas do sistema. Nesse momento cessam as freqüências que atuaram no sistema, eliminando sua evolução. Assim, o estado crítico é sua meta final;

4°) Estrutura hierárquica – Sistemas podem ser identificados por várias escalas de magnitude, onde cada um possui um subsistema (componentes), havendo elos de similaridade entre eles. Um exemplo seria um subsistema de regiões dimensionadas por redes e seus fluxos.

A partir do quarto princípio apresentado, percebe-se que na estrutura hierárquica da totalidade, que representa a idéia de integração total do sistema, é verificada também a lembrança de que existe diversidade na unicidade, em que cada parte não é vista como um elemento separado, porém mantém sua identidade e características próprias, desempenhando um determinado papel dentro de um contexto maior (Bohm, 1980; Camargo, 1999).

O conjunto hierárquico de sistemas e de subsistemas inicia-se no sistema Terra, sendo o mesmo o sistema-mundo, ou a totalidade do espaço geográfico, que abrange todos os elementos constituintes planetários. Nessa dinâmica, ocorrem constantes fluxos internos e externos, além de fluxos ligados ao *feedback,* ou retroação, que traz consigo flutuações que podem desordenar a antiga organização do conjunto, trazendo uma nova ordem para o interior do sistema. As entradas (*inputs*) e as saídas (*outputs*) dos fluxos estabelecem parte do equilíbrio dinâmico com o mundo exterior e também estão ligadas aos processos de mutabilidade (Bertalanffy, 1968; Maciel, 1974).

O universo exterior de um sistema é concebido como um todo organizado e continuamente sujeito a mudanças, tendo em vista que também possui sua dinâmica interna e externa, que apresenta, em qualquer momento, um determinado modo de ação ou comportamento. É importante lembrar que o universo exterior de um sistema compõe um outro sistema, que o transforma em subsistema. Esse subsistema, por sua vez, apesar de manter sua identidade, é influenciado diretamente por flutuações externas ao seu meio ambiente, submetendo-se a constantes possibilidades de mutabilidade (Maciel, 1974; Santos, 1997).

A qualidade das mudanças depende diretamente do teor da identidade do sistema pesquisado e da própria identidade do subsistema atingido. O *feedback*, considerado por Bertalanffy (1968) um dos conceitos centrais da Teoria Geral da Comunicação e do

Controle, irá também ditar o teor das possíveis flutuações do sistema pesquisado. Durante a interação de um sistema, é no *feedback* que os sistemas subseqüentes voltam a exercer influência sobre os antecedentes (Christofoletti, 1980).

Christofoletti (1999) verifica que a abordagem sistêmica considera que a análise do fenômeno deve ser realizada em seu próprio nível hierárquico, e não em função do conhecimento adquirido nos componentes de nível inferior. Para o autor, o conjunto é superior às partes, pois ocorre o surgimento de novas propriedades e relações no interior do sistema, onde o todo é sempre maior do que a soma de suas partes; portanto, sugere o advento do novo, representado por novas propriedades que emergem da conjunção das partes em transformação. Esse processo é o que Bohm (1980) denomina ordem implicada, que desabrocha do conjunto de variáveis em um sistema complexo. A emergência de novas qualidades geralmente deve estar relacionada com os arranjos dos elementos e com a estrutura do sistema.

Isso representa que, na análise, o pesquisador deve perceber as diferentes escalas hierárquicas do sistema pesquisado. Cada sistema possui suas devidas propriedades e estruturas de componentes, que mantêm seu padrão de organização próprio, o que lhe confere uma identidade singular.

2.1.1. Dinâmica dos sistemas, entropia, ordem e desordem

O segundo princípio da termodinâmica é fundamento básico para a compreensão da dinâmica interna dos sistemas abertos, pois é a partir do teor da informação gerada pela entropia que a mutabilidade ou a resiliência e a resistência dos sistemas ocorrem.

O princípio básico da entropia afirma que a energia no universo é uma só, ou seja, não é criada, porém vive em constante transformação, a partir da realização de trabalhos. Assim, um sistema poderá obter diversas formas de entropia de acordo com seus processos internos.

Haigh (1985) e Christofoletti (1999) assinalaram que, no tocante à entropia, um sistema pode existir em um dos seguintes estados:

1. Um sistema poderá criar entropia durante suas atividades, de modo que, às vezes, passará por desarranjos conforme a segunda lei da termodinâmica, ou seja, haverá decréscimo de energia disponível para se continuar o trabalho. Nesse caso, o sistema encontrará seu estado estacionário;

2. O sistema poderá promover a criação da entropia, extraindo energia de seu ambiente e utilizando-a para compensar o decaimento termodinâmico. Sob tais condições, o sistema dissipa entropia, aumentando o seu retorno para o ambiente e, dessa maneira, pode permanecer estável, sem mudanças;

3. O sistema pode também absorver tão grande quantidade de energia de seu ambiente que se torna capaz de dissipar mais entropia do que é produzida por ele. A neg-entropia acumulada pode ser expressa como crescimento, reprodução ou evolução de novas estruturas internas.

Manutenção da ordem

Avaliando os sistemas ambientais, Christofoletti (1999) verifica que, para se conhecer o processo de mudança e a dinâmica evolutiva dos sistemas, é necessária a verificação de algumas noções fundamentais: as noções de estabilidade e resiliência, incluindo as dos distúrbios e tempo de reação, e, por fim, a análise da sensibilidade.

O conceito de estabilidade relaciona-se ao ajustamento do sistema às forças atuantes/forças controladoras. Porém, sendo o equilíbrio um processo relacionado à dinâmica, o mesmo não pode ser percebido como algo estático, pois depende da variação das flutuações advindas das forças controladoras (Christofoletti, 1999).

Essas variações irão interferir diretamente nas reações advindas do sistema; a estabilidade se encontrará através dos mecanismos que absorvem essas oscilações externas, sem mudar suas características internas (Christofoletti, 1999).

Segundo Christofoletti (1999), a estabilidade possibilita a percepção de dois estados. O primeiro é o aspecto da resistência, que é a capacidade do sistema de permanecer sem ser afetado pelos distúrbios externos, sendo também chamado de inércia. Por sua vez, a resiliência é a capacidade do sistema de retornar às suas condições originais após ser afetado por distúrbios externos. O sistema é considerado mais estável à medida que apresentar a menor flutuação ou recuperar-se mais rapidamente.

Na análise da manutenção dos sistemas submetidos a forças externas ao seu meio ambiente, Atlan (1992) descreve duas possibilidades de não-ocorrência do estado de irreversibilidade através de flutuações. A primeira hipótese ocorre quando um sistema recebe uma série de impulsos organizados, porém sua estrutura futura já está estruturada e resistente a transformações. Assim, segundo Atlan (1992), não há razão alguma para se falar em auto-organização. Nesse caso, o sistema possui resistência.

A outra possibilidade é a de a série de acontecimentos que atuam sobre o sistema não ser organizada, gerando perturbações aleatórias, sem nenhuma relação causal com o tipo de organização que aparcerá no sistema. Quando sob o efeito dessas perturbações aleatórias, o sistema, em vez de ser destruído ou desorganizado, reage por aumento da complexidade e continua a funcionar, e se auto-organizando (Atlan, 1992). Nesse caso, observa-se a resiliência.

Para se avaliarem os aspectos inerciais e a resiliência, Christofoletti (1999) propõe quatro procedimentos para mensurar esses estados em uma dinâmica:

1. Elasticidade, que se refere à rapidez com que o sistema retorna ao seu estado original;
2. Amplitude, que é indicadora da zona de segurança – espacial ou da intensidade de forças – dentro da qual o sistema encontra condições para se recuperar, cujos limites máximos e mínimos correspondem aos limiares, estabelecendo seu potencial de refúgio. Conhecer a amplitude do evento é fundamental, porque focaliza o limiar além do qual o sistema não pode mais se recuperar e voltar ao seu estado original;
3. Histerese, que assinala o espectro no qual as trajetórias de recuperação podem seguir e definir o padrão de ruptura em virtude da reação de ajustagem ao distúrbio;
4. Maleabilidade, que é o grau indicador em que a nova condição estável estabelecida após o distúrbio difere do estado original.

Estados de quase-equilíbrio

Christofoletti (1980) observa que, quando um sistema não alcança seu equilíbrio de modo global, durante o evento de transformações contínuas, como é o caso da degradação de paisagens, surge a designação de estado de quase-equilíbrio.

Nesse caso, o estado de quase-equilíbrio citado por Christofoletti (1980) associa-se às estruturas dissipativas e ao processo de desordem a que se submetem os sistemas após sofrer flutuações.

Sistemas abertos e mutabilidade

Para Prigogine e Stengerls (1997), a natureza apresenta tanto processos irreversíveis quanto reversíveis, sendo os primeiros a regra e os seguintes a exceção. Os processos reversíveis são o ideal do nosso imaginário, que busca a segurança constante derivada das leis newtonianas; porém, segundo Prigogine (1993 e 1996) e Prigogine e Stengerls (1997), isso só é uma aproximação.

Irreversibilidade e reversibilidade

Até as inovações propostas por Newton, com a consolidação da ciência clássica, acreditava-se que as colisões entre átomos duros constituíam o processo principal da mudança de movimento. Com os postulados newtonianos, a gravidade passou a exercer papel fundamental na consolidação da idéia de uma força universal, que, baseada em um modelo mecânico de tempo e espaço absolutos, determinava todo e qualquer processo de deslocamento, fosse ele dos planetas ou de qualquer objeto.

Prigogine e Stengerls (1997) observam que as leis newtonianas, por serem universais, não definem as escalas dos fenômenos, tendo estas validade tanto para os cometas quanto para os corpos terrestres. Essa noção associa-se ao conceito de espaço e de tempo absolutos, no qual se baseia o mundo mecanicista e onde os fenômenos da natureza se comportam ligados a dinâmicas lineares, em que obedecem à lógica na qual a força (F) equivale à multiplicação da massa (m) do corpo pela sua aceleração (a).

Nessa lógica, em que a força inicial está diretamente ligada à dinâmica total do sistema, as características dominantes são a legalidade, o determinismo e a reversibilidade.

Essa simplicidade, que reduz a complexidade do mundo real, associa-se diretamente às conquistas adquiridas pelo método experimental clássico que, no conhecimento da natureza, objetiva preparar o fenômeno estudado, isolando-o e tornando-o legível dentro de suas expectativas. Assim, a partir do empirismo, a ciência moderna se torna capaz de entender a natureza, não de forma passiva e metafísica, porém baseada na lógica matemática e na confirmação das suas teorias.

A interrogação, por parte do pesquisador, percebe então uma realidade mutilada e preparada, em função da hipótese e da busca das respostas a ela. No caso da dinâmica dos sistemas, Prigogine e Stengerls (1997) observam que a descrição de uma dinâmica implica dois tipos de observações:

1. A definição da lei da gravidade, que descreve as massas tendendo a se aproximar umas das outras;
2. Um sistema dinâmico, que se define pelo fato de que o movimento de cada um dos seus pontos é determinado, a cada instante, pela posição e velocidade dos conjuntos dos pontos materiais que o constituem. Assim, o único sistema dinâmico é o universo inteiro.

As leis da ciência clássica associam a força à aceleração e percebem o sistema como um processo ao mesmo tempo determinista e reversível. A reversibilidade liga-se, então, à noção de que, quando as condições iniciais são dadas, tudo o que ocorrer posteriormente é determinado (Prigogine, 1996).

É somente no final do século XIX, partir da criação da mecânica estatística, que Boltzmann e Gibbs (1884) começam a discutir a irreversibilidade dos fenômenos da natureza (Asimov, 1990; Ruelle, 1993; Prigogine e Stengerls, 1984 e 1997; Prigogine, 1997).

A hipótese de Boltzmann de 1884 associava-se à antiga idéia de que a matéria era constituída por um enorme número de bolinhas que se agitavam naturalmente. Como exemplo clássico, observa a água quente, que, ao perder calor, encontra um processo irreversível associado à entropia. Nesse processo básico, se a entropia permanece constante, os fenômenos são reversíveis, e seu aumento leva então a processos irreversíveis (Asimov, 1990; Ruelle, 1993; Prigogine e Stengerls, 1997).

A idéia original de irreversibilidade não se associa ao que Prigogine e Stengerls (1984) chamam de flecha do tempo, que traz consigo uma noção distinta de irreversibilidade, na qual os fenômenos não se associam apenas à idéia de que a irreversibilidade só acontece ligada à transformação da ordem em desordem graças à entropia.

Para a maior parcela dos físicos atuais, a hipótese de Boltzmann é a mais correta para se definir o processo de irreversibilidade, em que o segundo princípio da termodinâmica ocorreria em todo o planeta, condicionando-o a princípios de irreversibilidade constante (Ruelle, 1993).

Por sua vez, Prigogine e Stengerls (1997) verificam que a maior parcela dos físicos não percebe a irreversibilidade de Boltzmann como um aspecto fundamental da natureza, uma vez que ele apenas descreve um caráter aproximado do mundo real macroscópico. Boltzmann descobriu que a colisão entre as partículas levaria à irreversibilidade, percebendo que essas colisões estariam ligadas à distribuição das velocidades no interior da população, e não às trajetórias individuais de cada partícula. Assim, o estado final alcançado, ou o estado de equilíbrio, não seria nada mais do que o estado macroscópico mais provável.

Prigogine (1996) afirma que a instabilidade não pode apenas ser associada a um aumento de desordem, como afirmam os físicos, pois o desenvolvimento da dinâmica física do não-equilíbrio mostra que a flecha do tempo pode ser uma fonte de ordem. A instabilidade pode levar tanto à ordem quanto à desordem.

Em sua obra, Prigogine (1993 e 1996) percebe que os fenômenos da irreversibilidade estão ligados à construção do novo, por meio da dissipação interna dos indivíduos que fazem parte de um sistema, compreendendo sua dinâmica complexa por meio de interações, o que Morin (1977) descreve na seguinte seqüência: ordem-interações-desordem-organização.

No caso da irreversibilidade, quando atingida longe do equilíbrio, seu papel é construtivo, pois ela cria novas formas de organização a partir da auto-organização dos sistemas, por meio das estruturas dissipativas (Prigogine e Stengerls, 1984 e 1997).

Portanto, para Prigogine (1993 e 1996), Prêmio Nobel de Química de 1977, as estruturas dissipativas e a auto-organização dos sistemas ligam-se aos estados de instabilidades, que proporcionam um mundo novo. Completa o autor:

> "Não estamos mais no tempo em que os fenômenos imutáveis prendiam a atenção. Não são mais as situações estáveis e as permanências que interessam antes de tudo, mas as evoluções, as crises e as instabilidades. Já não queremos estudar apenas o que permanece, mas também o que se transforma" (Prigogine, 1996, p. 5).

Reajuste, sensibilidade, suscetibilidade e vulnerabilidade

Quando um sistema, que constitui o espaço e suas variáveis sofre modificações irreversíveis, atravessa um processo de reajuste. O reajuste se faz, então, na busca de um novo estado de equilíbrio. Nesse estágio, ocorre a mutabilidade evolutiva, quando a resistência e a resiliência são rompidas e o sistema não tem mais possibilidade de recuperação. Nesse processo evidencia-se a mudança do padrão de organização, em que as estruturas que se dissiparam saíram de um estado de ordem por interações, atingindo a desordem e uma nova organização (Prigogine, 1996; Camargo, 1999; Christofoletti, 1999).

A sensibilidade representa o nível em que um sistema responderá a uma mudança ocorrida nos fatores controladores. Por sua vez, a suscetibilidade de um sistema representa sua capacidade de reação, ou a capacidade do conjunto de ser influenciado às mínimas ações ou variações da influência externa. A sensibilidade associada à estabilidade torna o sistema vulnerável a ser modificado ou destruído (Christofoletti, 1999).

Flecha do tempo e irreversibilidade

Nas dinâmicas reversíveis, a trajetória seguida por cada ponto reflete e exprime a evolução global do sistema. Nesse processo, o tempo não é percebido, tornando a dinâmica reversível atemporal, assim como nos processos irreversíveis de Boltzmann. Na dinâmica irreversível defendida por Prigogine (1993 e 1996), é a flecha do tempo o elemento crucial na construção de novos processos de organização dos sistemas.

Prigogine e Stengerls (1997) observam que é graças aos processos irreversíveis e à flecha do tempo que a natureza realiza suas estruturas mais delicadas e complexas, devido ao estado de desequilíbrio provocado pela entropia. Assim, a irreversibilidade desempenha um papel construtivo na natureza, a partir das dinâmicas que encontram a instabilidade sistêmica, desencadeando novas organizações propiciadas pelas flutuações que interferiram na antiga ordem.

Os sistemas instáveis e caóticos são os que melhor exprimem os processos evolutivos associados à entropia. É a partir desse exemplo que se torna possível superar a contradição entre as leis reversíveis da natureza e a dinâmica associada à entropia (Prigogine e Stengerls, 1997).

A evolução do não-equilíbrio proposta na obra de Prigogine (1993 e 1996) destaca uma forte quebra da simetria do tempo, interferindo na antiga noção linear da dinâmica clássica. Na teoria defendida por Prigogine (1993 e 1996) e Prigogine e Stengerls

(1984 e 1997), a instabilidade e o caos associam-se à auto-organização dos sistemas graças à entropia.

Estruturas dissipativas, flutuações e a flecha do tempo

Uma importante observação acerca das estruturas dissipativas é o fato de que elas podem apresentar correlações/interações de longo alcance, após o sistema encontrar condições de não-equilíbrio. Esse processo está associado ao afastamento do equilíbrio, em que bifurcações associadas ao caos podem aparecer, fazendo o sistema tornar-se errático e sensível às condições iniciais (Prigogine e Stengerls, 1997).

Prigogine e Stengerls (1997) verificam que perto do equilíbrio as flutuações são irrelevantes, ao passo que longe do equilíbrio elas desempenham um papel central. Essas flutuações são essenciais nos pontos de bifurcação, em que o sistema torna-se errático, imprevisível e caótico, encontrando para sua percepção a probabilidade como resposta ao futuro.

Dinâmicas lineares e não lineares

Em relação às dinâmicas lineares e não lineares, Prigogine e Stengerls (1997) constatam que a produção de entropia verifica três estágios:

1. Na produção de entropia, os fluxos e as forças são simultaneamente nulos em equilíbrio, ou seja, em estado de equilíbrio cessam as atividades;
2. No domínio próximo do equilíbrio, em que as forças termodinâmicas são fracas, o fluxo é uma função linear;
3. Nos domínios não lineares, o fluxo é uma função mais complicada, gerando diversas possibilidades imprevisíveis.

De acordo com as forças impostas ao sistema, ele desempenhará sua evolução; se esta seguir a produção mínima de entropia, ele poderá evoluir para um estado estacionário, caracterizado pela produção mínima de entropia, onde o sistema encontrará seu equilíbrio dinâmico (Prigogine e Stengerls, 1997).

Se as condições impostas ao sistema relacionam-se a uma força termodinâmica de valor constante, isso irá mantê-lo a uma certa distância do equilíbrio. Porém, quando a força termodinâmica imposta ao sistema atinge um valor suficientemente elevado para retirá-lo de sua dinâmica linear, o conjunto poderá encontrar estados de instabilidade, fugindo da previsibilidade linear e podendo sofrer dinâmicas auto-organizadas e irreversíveis, que propõem processos não lineares, que devem ser percebidos por probabilidade (Prigogine, 1996).

Estabilidade e instabilidade dos sistemas dinâmicos

Os processos descritos anteriormente levam à compreensão dos mecanismos de instabilidade e estabilidade a que se associam os sistemas. É pela extensão para a dinâmica de sistemas caóticos e instáveis que se podem constatar novos patamares evolutivos da natureza.

Um exemplo clássico de sistema estável e reversível é o da dinâmica desenvolvida pelo pêndulo, que possui seu atrator de equilíbrio ao se estabilizar com o fim das forças que o impulsionaram. Por sua vez, se conseguirmos colocar um ovo em pé sobre sua parte mais côncava, encontraremos um equilíbrio instável, em que qualquer perturbação, ruído ou flutuação irá modificar sua estabilidade.

Assim, as dinâmicas estáveis estão associadas a pequenas modificações das suas condições iniciais, que produzem pequenas alterações em seu conjunto. Porém, segundo Prigogine e

Stengerls (1984), para uma classe muito extensa de sistemas dinâmicos, essas modificações se amplificam ao longo do tempo por meio de dinâmicas instáveis. Nesse caso, os sistemas caóticos são os melhores exemplos, pois, em suas trajetórias, as condições iniciais não traduzem as dinâmicas posteriores do sistema, que pode se bifurcar devido a novas perturbações ao mecanismo do fluxo.

2.2. Dinâmica dos sistemas, reversibilidade e irreversibilidade: o espaço geográfico

Segundo Prigogine e Stengerls (1997), na natureza existem dois tipos de mudanças: dinâmicas ou reversíveis e termodinâmicas ou irreversíveis.

No primeiro modo, a dinâmica interna das estruturas dos sistemas não sofreu grandes flutuações, ou mesmo não houve a ocorrência de caos, quando uma pequena variável interconectada a um sistema complexo causa uma grande dissipação na sua dinâmica interna, ocasionando uma ruptura inesperada na natureza do fluxo.

O segundo modo, ou a mudança termodinâmica, associa-se a transformações que ocasionam uma nova sintropia, causada por caos ou auto-organização, que se associa a um rearranjo dos elementos dos sistemas, que recebem um fluxo de energia maior do que podem suportar, entrando em estado crítico de desordem (Prigogine e Stengerls, 1997).

Quando ocorre irreversibilidade nos sistemas, eles são influenciados pela sua história, onde ocorrem flutuações e instabilidades, e que, segundo Haigh (1985), esporadicamente podem desenvolver a capacidade em torno do estado de entropia com um novo atrator. A emergência do estado de equilíbrio, fruto da organização da estrutura do sistema, que foi transformada irreversivelmente, trará uma nova identidade ao sistema e suas características complexas. Esse processo relaciona-se à dissipação interna das estruturas que compõem um sistema.

Ao aplicarmos a Teoria das Estruturas Dissipativas, a Teoria da Complexidade, a Teoria do Equilíbrio Dinâmico, a Teoria do Caos, a Teoria da Auto-Organização à Teoria dos Sistemas, observamos a dinâmica interna dos sistemas abertos e seus processos de irreversibilidade, além de novos preceitos que fogem das prisões newtonianas de um mundo controlável e mecânico.

PARTE   V

Evolução ecológica do planeta

"Quando a África, *o continente frio*, lentamente flutuou para o norte, há mais de 350 milhões de anos, a primeira vida terrestre a invadir o Karroo foram plantas: vegetação forte, robusta, como cavalinhas, musgos, fetos e licopódios, lentamente se espalhando pelo terreno."

Extraído do livro *O fim da evolução*, de Peter Ward*

---

* WARD, Peter (1997). *O fim da evolução*, p. 47.

Como na história geológica do planeta poderiam ser aplicadas as teorias sistêmicas? Baseada nas recentes teorias da paleoecologia, esta parte tentará responder a essa pergunta, aplicando-a ao processo evolutivo planetário. Posteriormente, essas hipóteses serão remetidas ao planeta Terra atual, levando em consideração a ação do homem.

1. Evolução ecológica do planeta e seus processos sistêmicos

A história do planeta sempre foi contada pela visão da geologia: fósseis e rochas denunciavam seu passado; porém, os mesmos fósseis podem também anunciar a combinação ecológica desse passado. A paleoecologia estuda a evolução ecológica planetária associada à combinação de elementos tanto da vegetação como do clima, entre outros, e busca perceber sua totalidade a partir dessa interconectividade. Para Salgado-Labouriau (1994), a paleoecologia tem como objetivo estudar a complexa relação entre organismos vivos e o ambiente físico em que esses elementos viviam; contudo, é difícil deduzir a relação biota-ambiente do passado quando a evidência é proveniente de organismos fossilizados para reconstruir esse paleoambiente; por isso é necessário muito cuidado nessa análise.

Se a fauna e, principalmente, a flora fóssil forem conhecidas, é possível reconstruir o ambiente em que viveram. Salgado-Labouriau (1994), que vem desenvolvendo pesquisas a esse respeito, demonstra em seu livro que a reconstrução da vegetação propicia o conhecimento dos climas do passado. Ela verifica, assim, que diferentes passados ecológicos já se afirmaram na superfície do nosso planeta, pois cada período, ou era geológica, possuía uma combinação específica de elementos que caracterizavam uma etapa planetária e evoluiu a partir de sua complexidade. Em seu livro, a autora verifica que as combinações se deram ao acaso e frutificaram, por meio da mudança ou com a combinação de seus elementos, em um novo estado de organização natural. Assim, a organização das variáveis atuais da Terra não pode ser comparada com a dos seus primeiros tempos, pois as condições ambientais daquele tempo não existem na superfície atual do planeta (Russell, 1982; Salgado-Labouriau, 1994).

Essa idéia corrobora a hipótese de que os ecossistemas são dinâmicos, de forma que as leis atuais da natureza não podem ser aplicadas ao passado, pois as condições do passado não existem mais em nossos dias. *A velocidade de extinção e de evolução dinâmica de cada elemento ecológico varia em cada etapa geológica do planeta e ocorre de forma irreversível.* Cabe descobrir o que impulsiona a velocidade espaço-temporal de cada ctapa geológica do planeta.

Mesmo sabendo que o conceito de ecossistemas dinâmicos é novo, o conhecimento de que os processos ecológicos estão em constante evolução e mutação é notório. Assim, se o clima ou outras condições ambientais mudam, logo os componentes do ecossistema sofrem adaptações, modificações e extinções, em que uma dialética pouco sutil interconecta elementos vivos e não vivos, refazendo novas totalidades dinâmicas. A idéia de ecossistemas estáticos e resilientes cede lugar à de uma dinâmica em que o todo é evolutivo.

Salgado-Labouriau (1994) defende a hipótese de que a falta de informações paleoecológicas, referentes à ciência surgida na década de 1960, não possibilitava a maior compreensão da evolução dinâmica do planeta. Segundo a autora, a falta de informações paleoecológicas trouxe idéias equivocadas para a ecologia, porque esta se baseava em ecossistemas estáticos e resilientes. A falta de dados que gerassem informações a respeito da evolução dinâmica e interconectada planetária não possibilitava observar o rompimento da resiliência, trazendo novos patamares a partir da combinação de vários elementos dinâmicos.

Cada idade geológica é caracterizada por uma combinação única de elementos. A superfície da Terra, a atmosfera, os mares, os organismos e os ecossistemas são sistemas dinâmicos, que evoluem em interação, buscando novos patamares de organização. A Terra possui uma coesão evolutiva dinâmica que envolve o orgânico e o inorgânico, onde estão ligados a geoquímica, a biologia, a geologia e o clima, entre outros elementos planetários (Casseti, 1991; Drew, 1994; Salgado-Labouriau, 1994; Schneider, 1998).

Essas mudanças evolutivas podem se relacionar a fatos, como o escapamento de gases do interior do planeta através de vulcões, que, segundo Mourão (1992), formou a atual atmosfera, com 21% de oxigênio e 79% de nitrogênio. Pesquisa recente tem demonstrado que o clima atual do planeta é um privilégio de alguns milhares de anos. Os últimos 500 mil anos observaram três variações do clima, com períodos de 25 mil anos (10%), 42 mil anos (25%) e 10 mil anos (50%). Porém essas variações, segundo Mourão (1992), ocorrem devido a mudanças periódicas provocadas pela precessão, obliqüidade e excentricidade, as quais constituem os parâmetros característicos da órbita terrestre no sistema solar.

Verifica-se, assim, que mudanças no planeta decorrem de diferentes fontes e de diferentes formas, interferindo diretamente na composição da totalidade planetária e em sua dinâmica espaço-temporal.

As divisões geológicas são definidas por conjuntos de fósseis, e o limite entre as eras é marcado por uma mudança radical no conjunto de fósseis. Os períodos, que são as subdivisões das eras, e suas subdivisões menores, as épocas, se caracterizam também por conjuntos de fósseis característicos. Esse conjunto, em cada etapa, encontra-se em uma complexa teia de inter-relação biótica e abiótica.

Verifique no quadro abaixo a enorme dinâmica planetária encontrada no conjunto das etapas geológicas do planeta:

ETAPAS GEOLÓGICAS DO PLANETA

ERA	PERÍODO	IDADE (em milhões de anos)
Antropozóica ou Quaternária	Holoceno	2
	Pleistoceno	
	Plioceno Neogeno	7
	Mioceno	26
Cenozóica ou Terciária	Oligoceno	28
	Eoceno	65
	Paleoceno	
Mesozóica ou Secundária	Cretáceo	136
	Jurássico	185
	Triássico	224
Paleozóica ou Primária	Permiano	280
	Carbonífero	345
	Devoniano	395
	Siluriano	440
	Ordoviciano	500
	Cambriano	570
Pré-cambriana, dividida em Proterozóica Arqueozóica Azóica		4.570

Fontes: *Novo dicionário geológico-geomorfológico* (Guerra e Guerra, 1997) e *Dicionário das ciências* (Salem, 1995).

A grande caracterização da era quaternária, em que nós vivemos, associa-se ao surgimento de grandes glaciações intercaladas por períodos menores interglaciais. A fase em que estamos agora, e que começou com o retrocesso do gelo glacial em todo o planeta, constitui um interglacial que dura há uns 12 mil anos. Esse período foi antecedido por grandes glaciações que, em média, duravam 100 mil anos. Segundo Salgado-Labouriau (1994), a era quaternária, provavelmente, alterou 16 períodos glaciais de tamanho variável, e cinco marcaram evidências geomorfológicas conhecidas.

É claro que, se a lógica linear cíclica da era do gelo continuar, poderemos retornar à glaciação; porém, percebendo essa questão a partir de outra ótica não linear e que incorpore as novas teorias do campo sistêmico, duas óticas poderão surgir. A primeira relaciona-se ao tempo de retorno das eras glaciais, que ressurgiriam dentro de um prazo previsível pelo homem de forma linear e padrão, ou encontrariam uma nova dinâmica do tempo relacionada à ação do homem no planeta. A segunda hipótese relaciona-se com uma mudança radical do padrão do planeta, relacionado com a reorganização constante do espaço geográfico e de sua interconectividade com o sistema natural, perfazendo uma só dinâmica de totalidade em constante totalização.

Assim, resta ao homem saber se é possível interferir nessa probabilidade a partir de novos redimensionamentos técnicos do e no espaço geográfico, propiciando novas interconectividades que refaçam a dinâmica espaço-tempo e redimensionem a padronização do planeta.

1.1. Evolução planetária e Teoria Geral dos Sistemas

Aplicando a Teoria Geral dos Sistemas ao planeta, verifica-se que a Terra é subdividida em vários subsistemas, que interagem e mantêm uma identidade própria. Dos macrossistemas podemos observar: o atmosférico, o continental ou litosférico e o aquático ou hidrosférico, e, na zona de interseção dessas unidades, a biosfera.

Drew (1994) e Salgado-Labouriau (1994) verificam que, graças a essas combinações, a Terra opera em uma hierarquia de sistemas em que cada um mantém sua independência, porém vinculando-se entre si. Assim, a atmosfera, a crosta terrestre, os oceanos e os organismos vivos interagem e interagiam desde o início de cada um dos sistemas que o planeta possui, formando o sistema terrestre.

Como foi verificado em uma menor escala, no estudo das redes de ravinas (Favis-Mortlock, 1996 e 1997), em cada evento em que as interações ocorrem os processos se auto-organizam dentro de uma singularidade própria no tempo e no espaço, gerando respostas individuais e que, eventualmente, podem romper com sua resiliência ou resistência, levando ao reajustamento do sistema.

Articulando essa idéia com a evolução planetária e suas mudanças constantes na ecologia, verifica-se a função evolutiva e não linear dos mecanismos dinâmicos em escala planetária, em que cada sistema é um subsistema do conjunto Terra.

A partir das diferentes combinações de variáveis existentes em cada período ou era geológica, constata-se que as interconectividades e seus constantes fluxos dinâmicos, incluindo o *feedback* e o processo de eqüifinalidade, estão na base do rompimento dos antigos padrões de resiliência e/ou resistência, a partir da auto-organização, ou dos processos caóticos que dinamizaram a antiga combinação, podendo provocar seu reajustamento.

Nesse debate, percebe-se que os arcabouços newtonianos, sendo marcados pela reversibilidade e pela ordem contínua, não poderiam perceber a descontinuidade que traz o fluxo não linear que desenvolve a ordem, levando à desordem e à nova organização, a partir das interações e dos processos que dinamizam os sistemas.

A imagem gerada pela concepção de que a totalidade é formada pelo somatório de suas partes internas nos faz pensar que qualquer sistema percebe-se como algo previsível e contínuo.

A partir da hipótese de que o todo é maior do que a soma interna das suas partes, verifica-se que, sendo a totalidade uma plataforma não linear que se amplia constantemente, a partir do aumento de sua complexidade, gera-se a noção da formação do que está por vir a se transformar no todo. A "futura" totalidade, que se apresenta implicada, ou seja, que ainda não aflorou, tende a evoluir até se expor, compondo-se de maneira mais complexa do que a totalidade anterior (Bohm, 1980; Santos, 1997a; Camargo, 1999).

A totalidade representa então um conjunto "momentâneo" das relações de suas partes componentes, que tende a evoluir constantemente para tornar-se outra mais complexa. Totalidade é o resultado, mas totalização é o processo que viaja no sentido não linear da evolução dos sistemas (Santos, 1997a).

Santos (1997a) observa que a totalidade acabada já está estruturada, "perfeita", pois foi o resultado do movimento dos elementos constituintes do conjunto.

Os sistemas do planeta Terra, em evolução complexa e conjunta, são individualmente elementos com identidade própria e que formam um todo momentâneo, constituindo o padrão de organização de cada era ou período geológico. Como se desenvolvem dinamicamente em um tempo próprio, relativo às suas especificidades, seu processo de totalização em busca de uma nova identidade organizacional é também próprio e relativo às suas interconectividades. Ao alcançar um novo patamar de sintropia após desenvolver dinâmicas próprias, o conjunto sistêmico evolui para um novo patamar de ordem e organização.

Surgimento de novos padrões de organização

A produção de entropia em dinâmicas lineares ou não lineares, segundo Prigogine e Stengerls (1997), só "ameaça" a estabilidade do sistema quando este não se encontra em equilíbrio, portanto os fluxos e as forças dependem de "ruídos" que levem ao desenvolvimento da desordem.

O grande desenvolvimento de fluxos que rompem com o estado de resistência ou resiliência do sistema ocorre quando o mesmo encontra dinâmicas não lineares. Próximo do equilíbrio, as forças termodinâmicas responsáveis pelas mudanças tornam-se fracas, desenvolvendo funções lineares e reorientando a nova organização das estruturas internas (Prigogine e Stengerls, 1997).

A possibilidade de reajustamento do sistema depende do nível de sua sensibilidade e da sua suscetibilidade de ser influenciada pelas ações externas. Alguns sistemas são mais vulneráveis do que outros a mudanças efetivas em seu conjunto. Por sua vez, outros possuem maior elasticidade e, portanto, maior rapidez nas respostas e no seu retorno ao estado original.

De acordo com Drew (1994), embora todos os sistemas sejam cadeias com elos de força variável, também acontece de alguns se desintegrarem com maior facilidade do que outros, com uma rápida e irreversível modificação em seu todo. Segundo o autor, os ecossistemas reagem mais rapidamente à tensão e oferecem menos resistência do que os sistemas inorgânicos.

2. Aplicação da hipótese no caso climático nos tempos atuais

Levando em consideração que os tempos atuais geram alterações nas dinâmicas sistêmicas em uma velocidade jamais vista, este item busca de forma simples debater a questão discutida anteriormente em relação ao processo climático. Sabe-se hoje que a questão climática tem sido longamente discutida graças a uma possível alteração do clima.

Entendendo que a trajetória de nosso debate tem efetivado a noção de que o atual paradigma dominante não possui bagagem suficiente para explicar a magnitude dos processos, buscamos entender a realidade a partir de alguns pressupostos:

1. Em primeiro lugar, o paradigma clássico baseou-se na fragmentação da totalidade, referenciando-se analiticamente a partir da análise das partes em separado e, portanto, perdendo a grandiosidade de uma análise conjunta a partir da interconectividade;

2. Verificamos, assim, que, para se entender uma possível mudança climática, faz-se necessário referenciar a totalidade a partir da inerente conectividade interna dos seus elementos. Nesse contexto, tanto a sociedade como a natureza se explicam em uma dialética que supera a visão causal linear;

3. Essa percepção epistemológica verifica que o sistema Terra, nos últimos anos em que o homem está associado ao

processo produtivo, tem evoluído a partir da interconectividade do homem sobre a natureza e das respostas sistêmicas dela sobre a sociedade.

Sabe-se que os sistemas mudam com o tempo, mas em longa
duração, pois na escala humana do tempo os sistemas naturais
parecem estáticos. Essa percepção relaciona-se com o imaginário
social ligado ao determinismo físico clássico, que pensa os sistemas como sendo circulares e eternos, ou seja, que imagina o clima
como eterno e único. É claro que, levando em consideração o
pequeno período em que habitamos o planeta e nossa emergência
como sociedade dominante, deve-se verificar que a evolução da
Terra para nós é algo que se aproxima do estático; contudo, cientificamente, na realidade os sistemas oscilam em torno de uma
situação conhecida como equilíbrio dinâmico.

Em nosso atual estágio de equilíbrio dinâmico, o determinan-
te fundamental do clima é a entrada de radiação solar, que impulsiona os mecanismos da atmosfera. Os elementos que constituem
o clima – temperatura e padrões de pressão, o vento e a precipitação pluviométrica – são efeitos secundários da diferença de aquecimento da atmosfera e da superfície da Terra. Assim, as alterações introduzidas no equilíbrio térmico irão causar mudanças climáticas máximas e a maior seqüência de mudanças sucessivas.

Dentro dessa perspectiva, muitas vezes pequenas alterações,
como no caso do dióxido de carbono, podem sugerir outras, mais
drásticas nos processos ulteriores. Isso ocorre devido à interconectividade com os elementos constituintes do padrão atmosférico e que podem romper com seu equilíbrio físico-químico
dependendo do potencial de resiliência que este possuir. Sabe-se
que o CO_2 é um importante agente na absorção de radiações de
ondas longas, ocupando função decisiva no clima planetário, de
modo que pequenas modificações em sua estrutura desencadearão

processos que produzirão intensas flutuações na temperatura do globo (Drew, 1994).

Para se compreender como o clima é tênue, podem-se tomar como exemplo simples as áreas rurais, onde o clima sofre alterações em grandes espaços, representados em grandes áreas que alteram o padrão original, seja em práticas monoculturais ou não. Segundo Drew (1994), apesar de os efeitos serem maiores junto ao chão, as condições atmosféricas são alteradas em uma abóbada de 30 a 100 metros de altura. Ao pensarmos na interconectividade que abrange os outros elementos que compõem a atmosfera, permitiremos diferentes possibilidades de efeitos possíveis em uma pequena área, se levarmos em consideração que esse subsistema integra-se a outros, constituindo o grande sistema atmosférico.

Assim, queimadas, desmatamentos podem gerar ações a curto ou a longo prazo. Um exemplo citado por Drew (1994) mostra que, nos territórios do nordeste do Canadá, fez-se uma queimada em uma área de taiga com podzol subjacente. O microclima local, medido 24 anos depois, revelou características bem diferentes do clima existente nas matas vizinhas.

Mesmo assim, as alterações macroclimáticas são de difícil consideração, por ser possível argumentar que ocorreram por processos naturais. Mesmo assim, uma questão específica merece destaque em nosso livro: o caso do deserto de Rajputana, pois este mesmo sugere que talvez o homem tenha desencadeado a alteração climática em uma área de 30.000 km². Trata-se de exemplos extremos de desertificação, neste caso devida ao intenso uso da vegetação local por cabras, o que induziu à modificação cumulativa dos processos atmosféricos, e que foram provadas empiricamente (Drew, 1994).

Alterações macroclimáticas sendo interpretadas dinamicamente dentro de um conjunto de reações podem gerar alterações em dimensões diferenciadas. Para Tavares (2004), os sistemas interconectados geram trocas sucessivas de energia e matéria com outros sistemas participantes de um universo interativo. Energia e matéria, adentrando o sistema, atuam nas relações entre seus elementos, delineando as feições mensuráveis dos atributos. Os mecanismos de recepção, transformação e geração de energia e matéria no interior de um sistema possuem também um efeito de retroalimentação, que repercute nos elementos componentes e nos demais sistemas do universo interativo e que, portanto, atravessam sistemas que retroagem a outros sistemas.

A partir dos dados obtidos pelos paleoclimas, podem-se conhecer antigas totalidades climáticas. Assim, torna-se possível modelar as mudanças climáticas atuais, por meio de comparação com registros existentes. Por isso, muitos cientistas acreditam que as possíveis mudanças climáticas atuais não passam de pequenas flutuações naturais da temperatura do planeta e, provavelmente, de uma resposta causal à ação do homem sobre o meio (Schneider, 1998).

Sabe-se que, durante o passado geológico do planeta, muitas mudanças climáticas ocorreram e se sucederam em períodos glaciais, miniperíodos glaciais, entre outros, que observaram ecologias distintas na superfície terrestre (Mourão, 1992; Salgado-Labouriau, 1994).

Há alguns anos, porém, cientistas do mundo inteiro têm-se defrontado com fatos que fogem à regra esperada pela caracterização das leis da ciência clássica, como observa o *Jornal do Brasil* (1997):

1. Os 11 anos mais quentes do século XX ocorreram a partir de 1980;
2. Desde 1988 os pesquisadores analisaram milhares de registros históricos de longo alcance, e, em seu conjunto, a informação mostra um aumento gradual da temperatura média mundial;

3. No século XX, o nível dos mares aumentou de 15 a 25cm;
4. Em relação aos 50 anos passados, a primavera chega hoje uma semana antes na latitude Norte, e as geleiras dos Alpes estão derretendo;
5. Uma série de inundações açoitou os EUA desde 1993, provocando mais de 2,5 bilhões de dólares de prejuízo.

A lógica em responder a essas questões baseou-se em eleger elementos que, inseridos na atmosfera, pudessem concretizar uma seqüência de reações que alterassem a dinâmica esperada. Nessa coerência, buscou-se a compreensão causal-reversível, em que o planeta, provavelmente vitimado pelo processo cultural do homem, alteraria sua seqüência climática esperada e matematicamente previsível, encontrando novas cadeias de reações determinísticas.

Um exemplo é dado por Drew (1994), ao verificar que a tentativa de criar artifícios de alteração do clima tem sido inviável, devido à nossa ignorância dos pormenores da ação atmosférica, o que implica que a mesma não se encontra em uma relação de causa e efeito.

As discussões realizadas na ECO 92 sobre a emissão de gás carbônico deixaram claro que alguns países mais poderosos, liderados pelos EUA, consideram que a redução de emissões implica custos econômicos e sociais que eles não estão dispostos a assumir agora. Essa idéia, que se associa a uma ideologia linear de que a tecnologia futura poderá dissipar qualquer problema eventual que coloque em risco a humanidade, não analisa, por exemplo, a grande dimensão da questão, se esta for verificada a partir da idéia da interconectividade e dos seus efeitos diretos e no *feedback*.

2.1. Ciência e método investigativo

Na configuração do espaço são importantes os sistemas socioeconômicos, dos quais fazem parte, por exemplo, as cidades, as tipologias de uso do solo rural e os processos inerentes aos aspectos visíveis da ocupação do território. Sendo assim, dentro dessa lógica, mudanças nos sistemas naturais podem gerar modificações nos sistemas socioeconômicos e vice-versa. A organização funcional dos espaços urbano e rural, vinculada aos interesses do modo de produção, acaba gerando alterações nos fluxos de matéria e energia no âmbito dos sistemas ambientais, o que leva a especulações sobre tendências e mudanças climáticas que teriam origem e produziriam conseqüências retroalimentadoras em ambos (Tavares, 2003).

Para responder a essas questões em climatologia, Schneider (1998) descreve três unidades de análise. A primeira seria a determinística, em que um estímulo provoca uma resposta esperada e um estímulo duplo provoca uma outra: há relação direta entre causa e efeito. Por exemplo, uma névoa de poeira vulcânica que reflete 1% da energia solar, de volta para o espaço provocará um resfriamento único. Um reflexo de 2% provoca (não necessariamente linear, mas ainda determinável) resposta de resfriamento também única.

Outra forma de se perceber o comportamento dos sistemas é o estocástico, ou seja, a percepção do sistema por meio do comportamento estatístico, o que necessariamente não foge à regra causal.

A terceira maneira de se perceber os sistemas é a partir da Teoria do Caos, que traz em seu arcabouço a presença do acaso. Segundo Lorentz (1996), "para tais sistemas, há uma tendência a aglomerar-se em torno de certos estados estranhos aos sistemas causais". Assim, o arcabouço ligado à auto-organização e ao acaso descreve que épocas de gelo, ou mesmo períodos interglaciais, podem ter ocorrido a partir de comportamento caótico e imprevisível, em que pequenas alterações em patamares de alta complexidade podem ter provocado bruscas rupturas na organização dos antigos sistemas, gerando novos patamares de equilíbrio (Russell, 1982; Salgado-Labouriau, 1994; Ward, 1997).

A partir do surgimento da paleoecologia e da sofisticação das informações, sabe-se que a atmosfera, a crosta terrestre, os oceanos e os organismos vivos interagem e interagiam desde o início de cada sistema terrestre (Russell, 1982; Salgado-Labouriau, 1994; Ward, 1997).

Para o arcabouço teórico do acaso, da auto-organização e da complexidade, o clima não é um elemento que atue isoladamente no conjunto planetário. Nesse contexto, todos os elementos interagem e perdem sua antiga hierarquia vertical, reintegrando-se em uma nova postura de relações e de organização, que observa a essência da interconectividade dos elementos e de sua atuação (Capra e Steindl-Rast, 1991; Sheldrake, 1991; Russell, 1992; Capra, 1996).

Em uma perspectiva de análise linear clássica, acredita-se que o CO_2, por ser o gás mais intensificador, que supostamente cria a mudança do clima, trará, em um futuro próximo, graves conseqüências para as temperaturas médias do planeta (*Ecoguia*, 1993).

Calcula-se que, anualmente, ocorre a emissão de sete bilhões de toneladas de derivados dos combustíveis fósseis na atmosfera, o que traria um provável aumento de temperatura como causa linear do aumento da emissão constante desse gás na atmosfera. A Tabela 1 demonstra o crescimento gradual desse gás na superfície (Dolffus, 1994).

Tabela 1 – Aumento de CO_2 na atmosfera em partículas por milhão (p.p.m.)

160 mil anos atrás	280 p.p.m.
Início do século	290 p.p.m.
1957	318 p.p.m.
1992	350 p.p.m.
2050 (previsão)	550 p.p.m.

Fonte: MOURÃO, Ronaldo R. de Freitas. *Ecologia cósmica*. Rio de Janeiro: Francisco Alves, 1992, pp. 45-47.

Alarmados com o problema, os cientistas tentam compreender as possíveis conseqüências de um aquecimento global dentro da perspectiva causal, das quais destacamos (*Ecoguia*, 1993):

1. Aumento dos níveis pluviométricos, com a precipitação de chuvas torrenciais e a umidificação crítica do solo, trazendo conseqüências imprevisíveis para a atividade agrícola e a pecuária;
2. Alteração acelerada dos processos ecológicos de diferentes áreas naturais, provocando o imediato crescimento de pragas entre outras graves conseqüências;
3. Crescimento do nível dos oceanos, devido ao derretimento parcial das calotas polares, provocando inundações em diversas áreas litorâneas do planeta;
4. Com a elevação das temperaturas, a evaporação, a nebulosidade e a pluviosidade também crescerão;
5. Os glaciais de montanha também sofrerão grande retração;
6. O Ártico terá, progressivamente, suas águas livres do congelamento;
7. Icebergs existirão em maior quantidade nos oceanos, pela fragmentação das calotas continentais;
8. O nível do mar deverá aumentar de 9cm a 88cm até 2100.

Dentro da perspectiva caótica, na qual a imprevisibilidade, a interconectividade e a irreversibilidade atuam em conjunto, a dinâmica das possíveis mudanças climáticas seria percebida de forma divergente, em que as possíveis respostas poderiam alcançar um resultado imprevisível.

Na dinâmica apresentada nos sistemas caóticos e auto-organizados, a flecha do tempo não linear associa-se à constante realimentação inerente aos sistemas vivos e não vivos, que pressupõe uma evolução contínua, integrando todo o planeta por meio de laços contínuos e criativos (Prigogine e Stengerls, 1984).

Weber (1986), entrevistando Prigogine, observa que o processo evolutivo que ocorre no planeta busca o infinito e tende a ampliar sua complexidade cada vez que um novo elemento envolvido entrar no sistema. O momento da criatividade é aquele em que, na realimentação através da dissipação, gera-se uma nova totalidade. Esse laço que envolve todo o conjunto planetário demonstra a interconectividade do sistema Terra.

Constata-se que todo sistema em desequilíbrio tende a procurar, a partir de sua dissipação, um novo equilíbrio, reorganizando-se. Nesse momento "cria-se" um novo mundo, mais complexo do que o anterior. À medida que evoluem os sistemas da Terra, ampliam-se também os fluxos contínuos de realimentação, criando e recriando novas totalidades.

Assim, a partir da totalização outrora implicada, podem surgir novos padrões não lineares para os sistemas. Como a atmosfera também participa da evolução conjunta do sistema planetário, por meio de fluxos internos e externos, então ela pode ter seu padrão alterado, à medida que novas combinações criadas por laços dissipativos apresentarem-se em seu sistema, pois o caos e a auto-organização funcionam como geradores contínuos de novas totalidades. Se a dinâmica do planeta envolve tudo e todos, rumo a complexidades maiores, então a atmosfera não foge a essa regra.

Nesse contexto, se ampliarmos os processos poluentes, associados ao *feedback*, estaremos alterando, nao linearmente, a dinâmica das interações que envolvem o planeta, redimensionando o espaço-tempo em seus processos de trocas contínuas e da gênese de novas totalidades mais complexas, o que significa que podem, ao acaso, ser geradas novas plataformas evolutivas.

A imagem de uma espiral infinita tende, então, a demonstrar que a cada nova plataforma de eventos, na busca do equilíbrio, encontra-se uma maior complexidade, na qual o acaso pode gerar descontinuidades no padrão existente.

A atual composição de eventos que o planeta realiza tende a ser a gênese de novas realidades ambientais. Cada nova dissipação interna do sistema Terra supõe que as modificações dinamizam-se pela própria aceleração que tanto é imposta ao planeta quanto lhe é própria.

Nesse contexto, o homem é um elemento auto-eco-organizador, o que nos remete à reflexão de que ele não está no centro das possíveis mudanças, porém traz uma nova dinâmica à transformação do espaço-tempo. Nesse processo, o homem atua com a sua cultura, o que inclui seu tempo de produção e aceleração, redinamizando as plataformas evolutivas, que seguem seu curso em busca de equilíbrio (Carvalho, 1999).

PARTE VI

Evolução conjunta do planeta por meio da análise geográfica espacial

"A geografia não é física e nem humana,
a geografia é da humanidade."

Milton Santos

Segundo Drew (1994), para se entender amplamente uma análise geográfica faz-se necessário compreender a imensa complexidade da evolução conjunta da Terra, percebendo sua interdependência das partes que formam sua totalidade. Nesse sentido, a organização do espaço dimensiona o processo técnico que infere sobre o meio natural, provocando reações em rede específicas.

A tendência de cada modelo técnico será responsável, então, por um conjunto específico de relação sociedade-natureza, e se o atual modelo cartesiano-newtoniano de ciência encontra-se empiricamente em desarmonia com o da natureza, isso significa que as respostas do meio natural serão a busca do equilíbrio de forma diacrônica e que, por isso, poderá demandar respostas não lineares ao sistema ambiental.

Fazem-se necessários, então, modelos técnicos mais harmônicos, que ajudem o meio natural a encontrar melhores estados de sintropia. Pois, de maneira diferente da idéia da entropia, os processos não se perdem, mas se encontram em patamares novos de organização sistêmica a partir da interconectividade de suas variáveis internas. A busca do equilíbrio é, assim, constante.

E, apesar de nossa sociedade associar-se, em sua ideologia, à manutenção dos padrões, sempre que processos sintrópicos ocorrem, as conseqüências dimensionarão possíveis respostas diferenciadas aos mecanismos sistêmicos. Na busca do equilíbrio, elas podem manter o padrão ou rompê-lo, dimensionando novas plataformas evolutivas, ou seja, quando um sistema remete suas variáveis ao processo dissipativo interno, seu resultado pode variar em diferentes respostas. E se a manutenção dos padrões ocorre, como aposta nossa ciência oficial, isso é fruto do acaso.

1. A hipótese Gaia e a manutenção do equilíbrio sistêmico

Para se entender melhor o que significam a interconectividade e a construção de novos patamares evolutivos, um grande exemplo é a hipótese Gaia, que foi retomada na década de 1960, por James Lovelock. Para esse cientista, a Terra é um organismo vivo auto-regulador. Esta idéia ressurgiu quando Lovelock (1990) buscava detectar vida em Marte e por analogia compreendeu que se os gases que compõem a nossa atmosfera estivessem em equilíbrio químico, como viu em suas experiências, nossa atmosfera apresentaria uma outra composição (Sheldrake, 1991).

Lovelock (1990) acreditava que o equilíbrio que permite a vida como a conhecemos relaciona-se a um processo de interação que envolve todos os elementos vivos e não vivos e o próprio planeta em sua dinâmica, fazendo com que a vida seja moldada às condições da Terra. Nesse sentido, essa interação otimiza as condições contemporâneas da biosfera, ou Gaia, que seria uma entidade auto-reguladora com capacidade de manter o nosso equilíbrio e a vida atual como a conhecemos graças ao seu autocontrole do meio ambiente físico e químico. Uma das suas atividades seria a de manter a temperatura do planeta dentro dos limites aceitáveis à nossa existência, mesmo que ela sofra constantes bombardeios de CO_2. Para Lovelock, essa interconectividade incluiria também a própria manutenção da vida atual no planeta, que, dentro de uma relação de troca, também interferiria no equilíbrio do todo (Lovelock, 1990; Sheldrake, 1991; Simmons, 1993).

No centro desse debate, Lovelock (1990) teve uma dúvida intrigante: "Como é que a Terra mantém uma composição atmosférica tão constante se esta é composta de gases altamente reativos?" Em seu argumento, Lovelock observa que a Terra possuía uma quantidade abundante de oxigênio: 21% da atmosfera, e somado a essa quantidade um vestígio de 1,5 parte por milhão de metano. Sabe-se que sob a ação da luz solar esses elementos são altamente reativos; então, por que não reagiam? Portanto, deve haver algum processo na superfície da Terra capaz de agregar, de uma forma programada, a seqüência de intermediários instáveis e reativos, para alcançar esse objetivo. Muito provavelmente esse processo é a vida (Lovelock, 1990).

Vivemos distantes da possibilidade de equilíbrio químico. A hipótese Gaia, para Lovelock (1990), seria uma atividade auto-reguladora que o próprio planeta exerce. Os processos conscientes ou inconscientes de Gaia seriam o desenvolvimento e a manutenção da biosfera, em que cada elemento pertence a uma teia de relações auto-organizadas, ou seja, reguladas pelo conjunto que compõe o planeta Terra.

E, por analogia, a manutenção de nossa atmosfera no atual estágio de equilíbrio é também algo quase inexplicável, levando-se em consideração o tênue equilíbrio que a mantém dentro do padrão que possibilita a vida em nosso planeta. A manutenção do atual estágio ecológico é parte do processo evolutivo planetário, que se mantém por auto-regulação, na busca constante do equilíbrio dinâmico.

198

2. Sociedade e natureza

A história do homem remete à constante (re)configuração espacial, que se remodela no tempo e hoje envolve todo o planeta. Essa flecha do tempo verifica-se dos complexos naturais à imposição de novas categorias técnicas, e é assim que Santos (1997) afirma que a natureza primitiva foi sendo substituída por uma natureza inteiramente humanizada.

É essa natureza que hoje se associa aos grandes investimentos ou, mesmo, a dinâmicas naturais provenientes de subsistemas externos que se interconectam dialeticamente às atividades humanas. Nesse sentido, o espaço é formado por um conjunto indissociável, que une o natural ao social, tornando-o um híbrido (Santos, 1997); por isso, contribui intensamente para a evolução conjunta planetária.

Essa dinâmica, que articula sociedade e natureza no processo evolutivo planetário, tem hoje no espaço geográfico um sistema de objetos cada vez mais artificial, que dimensiona uma natureza que foi e está sendo tecnificada. Em relação a essa dialética, Santos (1997) nos ensina que, se a realidade concreta da história não separa o natural e o artificial, o natural e o político, torna-se praticamente impossível ao homem comum distinguir claramente as obras da natureza e as obras dos homens, e indicar onde termina o puramente técnico e começa o puramente social. Uma reserva natural, em nossos dias, constitui, muitas vezes, reserva para o capital.

Ainda, segundo Santos (1998), a história do homem é a própria história de uma ruptura progressiva, que envolve ele próprio e seu entorno, em decorrência de suas técnicas e da imposição da tecnologia sobre o meio ambiente. Assim, verificando que o desenvolvimento das técnicas está ligado ao próprio estado político das sucessivas etapas da humanidade, esse autor (2000) vê o sistema mundo, hoje, relacionado à própria intencionalidade do sistema produtivo e das suas necessidades de produção e reprodução. Dessa forma, o meio natural interconectado acompanha sistemicamente essa constante evolução técnica e ecológica em sua inerente dialética.

Para o referido autor, ao lado dessa unicidade técnica identificam-se os setores do processo produtivo dominante que se fizeram hegemônicos a partir de 1945, quando se consagrou o capitalismo tecnológico em todos os recantos do planeta (Santos, 1997a). Se antes havia várias técnicas pelas quais o homem se relacionava com o seu entorno, a partir dessa consolidação apenas uma se fez presente.

Para Santos (1991), o processo de culturalização da natureza confunde-se hoje com o processo de sua própria tecnificação, o que leva as técnicas a partir do trabalho humano a incorporarem-se à natureza, tornando-a cada vez mais socializada, onde a separação entre homem e seu meio natural se confunde, pois "a natureza se socializa e o homem se naturaliza".

Santos (1991) observa que, ao impor ao seu entorno suas próprias formas, o homem criou uma segunda natureza. Em decorrência disso, a natureza não é mais natural, pois, a partir de sua instrumentalização, o meio natural passa a ser um processo social, uma natureza "desnaturalizada". Por isso, ele afirma (1998) que a antiga idéia da natureza pura e amiga vem sendo cada vez mais substituída pela idéia da natureza artificial, instrumentalizada e social, onde a ordem racional rompe definitivamente com nosso antigo laço de amizade com o meio natural, advindo da Idade Média (Santos, 1998; Seabra *et al.*, 2000).

Assim, as formas, os processos, as suas funções e estruturas que retratam o espelho de uma dada sociedade não podem deixar de verificar como se redinamiza o meio natural a cada fluxo e a cada revigoramento das redes globais. A evolução que marca as etapas dos processos e das relações sociais marca, também, as mudanças verificadas no espaço geográfico, tanto morfologicamente quanto do ponto de vista da dinâmica ecológica planetária.

Nesse sentido, para Latour (1989) não é necessário separar, de um lado, o objeto e, do outro, o sujeito-sociedade, já que natureza e sociedade não são mais os termos explicativos, mas, ao contrário, requerem uma explicação em conjunto.

Em virtude disso, a evolução planetária não pode ser avaliada fragmentadamente sem contar com a ação humana. Segundo Casseti (1991), nos sistemas naturais a interferência do homem ocorre por meio de cortes, desmatamentos etc., e é fator fundamental para a ocorrência de novas estruturas em desordem se readaptando. Se, por exemplo, sua interferência ocorre no nível atmosférico, na redução da taxa de evapotranspiração, esse processo poderá gerar manifestações no *feedback,* podendo, assim, causar alteração no fluxo de energia que entra no sistema, também gerar rearranjos por entropia, causando mudanças irreversíveis ao conjunto, ou mesmo alterando momentaneamente sua dinâmica, mantendo o padrão por resiliência.

Para Altvater (1995), o equilíbrio ecológico da Terra e de cada território, em particular, é expresso mediante sua produção de entropia. O autor verifica que existe um tênue equilíbrio no balanço energético global, em que a energia ofertada é igual à energia absorvida.

Nesse processo de busca do equilíbrio, Altvater (1995) observa o capitalismo e sua inerente produção contínua e constante de entropia como uma possível causa do rompimento energético, pois, segundo o autor, a acumulação capitalista e o princípio da mais-valia exigem uma constante demanda de industrialização e de recursos, que interfere continuamente nos sistemas naturais.

Altvater (1995) aponta que qualquer processo de transformação material ou energética é associado a um aumento irreversível de entropia. Para o autor, a entropia seria responsável pelo aumento da desordem nos sistemas, pela diminuição da qualidade da energia nos fluxos sistêmicos, pelo aumento dos níveis tóxicos no ambiente e pela redução das redes naturais responsáveis pela evolução natural dos sistemas.

Assim, segundo o autor, os processos econômicos associam-se às coordenadas espaciais e temporais da natureza, vinculando-se aos fluxos energéticos e materiais. O autor sugere ainda que o atual estágio do capitalismo não respeita as demandas naturais necessárias ao atual equilíbrio.

A hipótese desenvolvida pela paleoecologia, de que a interconectividade das variáveis e sua totalização estão ligadas à evolução planetária, associa-se à suposição de que a dinâmica planetária atual não pode excluir a organização espacial dentro de sua grande movimentação, pois mesmo uma pequena descarga de CO_2 na atmosfera pode gerar um evento caótico que desassociaria um padrão de organização atmosférica e de todo o conjunto.

O planeta é um grande conjunto constituído por diversos subconjuntos, onde o sistema Terra constitui o todo que mantém o princípio da não-existência de partes isoladas, e sim de padrões em uma inseparável teia de relações. Assim, o sistema planetário organiza-se de forma complexa, podendo ser auto-organizado, seja pelo *feedback* ou mesmo por eqüifinalidade, em que o acaso é fruto da totalização.

Nesse contexto, a ação do homem associa-se ao sistema-mundo e à mutabilidade constante do espaço geográfico, criando evoluções conjuntas e contínuas, associadas à velocidade em que ocorre a dinâmica espaço-temporal, onde as formas, os processos, as estruturas e as suas variadas funções desenvolvem um conjunto holográfico instável e sistêmico.

E, a partir dessa mecânica, a dinâmica espacial do sistema planetário recebe constantemente a produção de entropia da sociedade contemporânea, podendo suscitar no seu fluxo bifurcações caóticas ou auto-organizadas, portanto imprevisíveis e ocasionais.

A manutenção da resiliência, ou da resistência do padrão planetário, não se associa ao desenvolvimento de processos reversíveis como lei absoluta e contínua, pois, sendo o espaço geográfico dinâmico e articulado globalmente de forma não linear, dialeticamente gera no planeta e nos seus sistemas uma velocidade relativa ao seu contexto, em que dinâmicas não lineares podem gerar eventuais totalidades.

A velocidade dessa dinâmica tende a associar-se à velocidade imposta pelo modo de produção que se dinamiza pelo espaço geográfico, podendo gerar mutabilidades nos subsistemas envolvidos, onde eles podem possuir maior elasticidade, ou não, dependendo do teor da sua suscetibilidade à possibilidade de resistência ou resiliência.

3. Mutabilidade e o sistema Terra

Para Coelho *et al.* (2003), a complexidade dos processos físicos merece ser adequadamente considerada, da mesma forma que as relações e as desigualdades que dela emergem. As interações entre as estruturas física e social e as relações desiguais de poder influenciam o uso e acesso aos recursos naturais, e fazem da noção de território categoria fundamental na discussão da questão ambiental.

No universo sistêmico, o meio natural é constituído pelos subsistemas, que interferem e condicionam as atividades econômicas, políticas e sociais do homem, ou seja, pela organização geográfica dos elementos da natureza. Nessa dialética, o meio natural é o fornecedor dos fluxos de matéria e energia que vão "alimentar" os sistemas socioeconômicos e também receber seus resultados, como em um grande elo diacrônico (Christofoletti, 1999).

As mutações que o homem impõe à Terra estão ligadas a vários fatores que operam em harmonia, auto-organizando-se, onde a exploração do meio físico está diretamente relacionada à manifestação econômica e cultural da sociedade que lhe impõe a mudança. Em uma menor escala, verifica-se que, por exemplo, uma construção irá alterar parcialmente o clima circundante, o clima modificado alterará o caráter do solo, e, por sua vez, a mutação do solo e da vegetação redundará em alterações posteriores do clima local. Assim, o telhado de uma casa construída será uma variável, pois dará um novo rumo às águas da chuva, provocando uma cadeia de reações interconectadas (Drew, 1994).

A construção do espaço geográfico relaciona-se à velocidade das trocas, ou dos intercâmbios suscitados pelas inter-relações de variáveis, onde o modo de produção associa-se ao conjunto encontrado pela economia-mundo de cada época, levando a diferentes tempos de produção, portanto a diferentes complexidades espaciais.

Os diferentes tempos da organização espacial associam-se ao teor técnico de cada momento e, assim, à apropriação produtiva da natureza em diferentes escalas de tempo no espaço. O tempo passa, então, a ser analisado relacionado a cada etapa da produção da cultura humana, e o espaço geográfico, por sua vez, também se associa à forma como essa velocidade relaciona-se à sua dinâmica.

O princípio da auto-organização se verifica na própria relação das variáveis sociais e naturais, que se interconectam em um debate dialético e que geram novas plataformas de totalidade em estado de equilíbrio no espaço-tempo.

As interações que existem em um determinado lugar participam ativamente dos processos evolutivos ambientais. A ação da sociedade, ao moldar os subsistemas ao contexto de seus processos, determina suas formas e a organização de suas estruturas internas; assim, quando ocorre um aperfeiçoamento técnico e ele é inserido no espaço geográfico, as formas-conteúdo participam interativamente dos processos em mutabilidade, construindo novas totalidades.

A competitividade inerente ao processo de globalização associa-se à constante reformulação do aparato técnico, e a cidade é o local onde este se integra à sociedade. Assim, na cidade, cada nova alteração ambiental propicia uma nova organização sistêmica. Rios e lagos poluídos, aquecimento de áreas urbanas, chuvas ácidas são elementos de interação com a construção de novas totalidades. É por isso que o lugar participa da construção do novo.

4. Dinâmicas não lineares e reorganização do sistema

Drew (1994) observa que na escala humana de tempo os sistemas parecem estáticos, porém flutuam no estado conhecido como equilíbrio dinâmico. Entretanto, se se aplicar ao sistema um esforço suficiente (ímpeto de mudar), então todo ele poderá estabelecer um novo estado de equilíbrio dinâmico, em nível diferente de operação.

A ampliação da desordem por meio da entropia relaciona-se com a flecha do tempo e com a própria evolução, que, segundo Hawking (1988), é algo que distingue o passado do futuro, dando uma direção ao tempo. Essas flechas termodinâmicas, que Prigogine (1996) destaca, associam-se às estruturas dissipativas, a partir da desordem provocada por "saltos" aleatórios que desorganizam os sistemas.

Essa desorganização do sistema associa-se ao contexto tempo de mudança e dinâmica espacial, que pode ocorrer por entropia dos fluxos internos, externos ou ambos. As mudanças de ocorrência caóticas são frutos de bifurcações, que eventualmente podem ser propiciadas por pequenos elementos no conjunto sistêmico que alterem brusca e irreversivelmente a dinâmica, provocando auto-organização.

O rearranjo do sistema em um patamar evolutivo novo também se associa a fluxos termodinâmicos, em que as estruturas encontram novos padrões de organização por auto-ajuste, podendo envolver também a eqüifinalidade e o *feedback* (Bertalanffy, 1980; Prigogine e Stengerls, 1984).

A idéia de que o universo caminha para a eterna desordem, baseada na evolução contínua da entropia, é repensada pela auto-organização, a partir do aumento constante da complexidade, a cada dissipação e reordenação dos sistemas (Davies, 1999).

Assim, podemos perceber um grupo de possibilidades ulteriores, fruto da atual dinâmica espacial imposta pelo homem, associado à própria evolução contínua planetária, que são:

1. Se com o aumento constante da complexidade um fluxo caótico acontecer não apenas no nível de subsistemas, porém no nível macro, as mudanças serão abruptas e inesperadas e, segundo a Teoria do Caos, imprevisíveis;
2. A manutenção constante do processo de resiliência do sistema Terra pode estar acompanhada do aumento da complexidade por auto-organização;
3. Pequenos fluxos de energia e matéria, que podem não gerar auto-organização brusca, apenas participam da dinâmica, sem trazer a mudança de sua organização, podendo estar relacionados à manutenção da ordem por resistência do sistema;
4. Agindo globalmente, a dinâmica espacial conta com a variável tempo, relacionada ao processo produtivo e também às pequenas intervenções locais ligadas à ação do homem. Esse processo toma ao seu alcance toda a dinâmica natural, que influencia e é influenciada pelos processos espaciais. A partir de então toda a ordem de mudanças, ou de manutenção do padrão de organização, recebe a velocidade imposta pelos tempos produtivos, associados dialeticamente ao conjunto de variáveis naturais e antrópicas que estiverem atuando no sistema Terra e nos seus subsistemas.

Portanto, a totalização associa-se à velocidade do conjunto de variáveis que estiverem atuando, e, se tempo é dinheiro, essa lógica provavelmente relaciona-se à construção evolutiva do conjunto Terra, onde a mutabilidade do espaço é a dinâmica que envolve todo o planeta.

É assim que uma mudança irreversível dos padrões pode ocorrer abruptamente, rompendo de modo definitivo com a lógica cíclica clássica, que pensa o retorno constante dos processos naturais como um processo normal e único.

5. O modelo de desenvolvimento

As formas geográficas como conseqüência de um padrão de organização socioeconômica trarão também respostas específicas à maneira como traçamos nossa evolução sistêmica que envolve o meio natural. Assim, o trato social envolvido em sua percepção da realidade dimensiona o amanhã e suas prováveis conseqüências.

Construir o amanhã é pensar sistemicamente e a partir da observação sintrópica das possíveis conseqüências do processo produtivo dominante retratado na dinâmica da evolução planetária. Por isso, pensar o desenvolvimento econômico, que funciona interconectadamente com o meio natural, significa buscar harmonizações sistêmicas.

É essa perspectiva não linear que rouba do determinismo clássico sua concepção de domínio constante, e sua concepção de ordem sempre irá vincular-se ao progresso. É assim que a inserção de novos modelos técnicos que procurem harmonizar-se com o meio natural torna-se possível, ou seja, inserir técnicas diferentes das dominantes como uma alternativa de desenvolvimento é viável, a partir do momento em que as sociedades estejam conscientes de que seu ambiente não é apenas uma fonte de recursos, mas também uma viabilização de um processo libertário, pois a geografia, através das formas planejadas, é uma prisão.

Hoje, o desafio imposto ao Estado-nação de consolidar os objetivos do grande capital e associá-los a um projeto nacional que tente resguardar a população é, em si, um paradoxo, devido às características do processo de globalização, que se associa, por exemplo, a uma época na qual o desemprego faz parte da sua própria cultura, encontrando-se na estruturação da mais-valia (Santos, 2003). O problema não incide, assim, apenas na adoção ou não do sistema capitalista, mas em repensar o atual modelo técnico e o seu modelo de desenvolvimento.

Essa ousadia dialética possui no desenvolvimento de técnicas ligadas à busca de processos harmônicos que envolvam o homem e seu ambiente um valor regional econômico implícito. O conhecimento das potencialidades locais, sejam naturais ou culturais, deve atrelar-se ao desenvolvimento ecológico-geográfico, permitindo, assim, uma reformulação das formas-conteúdo.

Repensar a produção deve ter como significado dignificar a vida das suas populações locais, e não os interesses particulares, que se baseiam na ideologia do progresso. Desenvolvimento ecológico, tecnologias alternativas que harmonizem o desenvolvimento com a natureza, utilização de biodigestor para geração de biogás, turismo ligado ao ambiente, valorização da cultura e da produção voltadas para o lugar são algumas das políticas e dos métodos cruciais para que a totalidade redefina suas partes e possa também redefinir as dinâmicas inerentes ao espaço e que contribuam harmonicamente para o atual estágio evolutivo planetário.

CONCLUSÃO

"Governar um grande reino é tão fácil como dar liberdade a um peixinho. Quando o reino é governado no espírito do Tao, as potências sinistras não o atrapalham, nem os espíritos invisíveis intervêm. Embora esses poderes nos estejam ausentes, não têm o poder de fazer mal. Assim como o sábio não atrapalha quando as potências sinistras e os espíritos invisíveis estão coibidos, então podem prosperar as melhores forças dentro do homem."

Lao-tsé

A geografia está em tudo, desde a hora em que você acorda até o momento do seu sono. Quando você toma seu café matinal e faz uso de algum tipo de alimento, ou quando pega seu transporte para o trabalho, você está associado a um mecanismo de análise geográfica. É por isso que todos construímos a história da geografia, pois somos essencialmente participantes e organizadores diretos ou indiretos da dinâmica do espaço geográfico.

Assim como a luz que ilumina artificialmente meu escritório, para que eu possa escrever no laptop, envolve diferentes relações que vão desde a hidrelétrica, passando pela rede elétrica do Rio de Janeiro, até chegar a minha residência, a leitura que você faz neste momento também envolveu diferentes setores de atividade que propiciaram que este livro esteja em suas mãos agora.

Se fôssemos refletir a respeito dos processos que dinamizam a vida de uma nação, com certeza iríamos discutir tantas relações que mais lembrariam um nó górdio, pois, se existe uma característica que marca nossos dias, ela é com certeza a complexidade sistêmica, ou seja, é a interposição de variáveis que, em um processo volátil, compõe a totalidade.

Para desatar esse nó, a ciência, por meio do método e da sua bagagem teórica, é o ingrediente indispensável. Assim, a geografia, incorporando a seu campo teórico os temas e conceitos ligados à ciência da complexidade, toma para si a responsabilidade de analista e consultora da realidade, buscando desmascarar, implodir, refazer e redinamizar o que se pretendia para repensar o que precisamos.

Isso ocorre pela própria essência de todo sistema complexo, que se caracteriza pela não-linearidade, pelo surgimento de processos imprevisíveis, que emergem ao acaso, e por dinâmicas que viajam no contínuo do espaço e do tempo, ligadas à reconstrução da ordem pela desordem. Nessa descontinuidade evoluem a nave planetária e sua tripulação, almejando o amanhã, que, em si, é um milagre de Deus.

A geografia, por sua vez, por sua militância histórica na sua busca incessante por conhecer as relações da sociedade com a natureza, é a ciência-chave desse mecanismo. Dessa forma, caberia a essa ciência, pela sua ontologia, dinamizar esses processos; porém, em seu percurso histórico, ela se ligou estreitamente ao paradigma clássico, o que não permitiu devolver para a sociedade as soluções necessárias para suas principais questões ambientais. Hoje, ao incorporar à sua bagagem conceitual as Teorias do Caos, da Auto-Organização, das Estruturas Dissipativas e da Complexidade, associadas às noções da interconectividade e da mutabilidade, a geografia abre grandes possibilidades para efetivar-se como a ciência matriz de diferentes análises.

Levando-se em conta que a geografia da complexidade dimensiona o estudo da sociedade e da natureza, abrangendo os mecanismos de conhecimento da própria totalidade, torna-se possível, para essa ciência, substituir a antiga idéia fragmentada do meio ambiente mediante a aplicação do conceito de espaço geográfico nas análises socioambientais.

Essa análise permite ao pesquisador conhecer detalhes da evolução interna dos processos sistêmicos ocorridos em uma determinada área que esteja sendo avaliada, como, por exemplo, em um monitoramento ou em um EIA (Estudo de Impacto Ambiental)-RIMA (Relatório do Impacto Ambiental). A bagagem conceitual da leitura do espaço geográfico propicia uma série de avaliações ligadas à mutabilidade interna de seus fluxos.

Assim, a explicação das prováveis mudanças ambientais pode ser compreendida de forma mais clara, pois não se submete a uma bagagem epistemológica fragmentada, que pensa o ambiente pela metade, em que uma parcela é a sociedade e a outra, o meio natural.

A geografia da complexidade e a análise espacial permitem verificar a interconexão inerente à própria realidade e, por isso, possibilitam ir muito além da fragmentação cartesiana que até nossos dias inunda a ciência moderna. E como a ciência clássica é também um aparato ideológico, que se propagou tanto em livros como nas práticas de análise de muitos profissionais, a emergência dessa corrente poderá ajudar o senso comum a superar uma série de erros teóricos e práticos que inundam o imaginário popular.

Talvez um dos piores reflexos desse processo esteja na visível externalidade do homem em relação à natureza, que, ligada ao conceito de espaço absoluto, se propaga nas salas de aula das universidades e dos colégios, além de pertencer à idéia cotidiana de natureza encontrada na sociedade ocidental.

Associada aos conceitos cartesiano-newtonianos, a natureza é vista a partir de seus fragmentos – clima, vegetação, relevo etc. –, e cada um efetiva seus mecanismos dentro de um espaço morto, que funciona como uma grande caixa tridimensional. Essa metáfora acaba tornando fácil para o homem moderno explorar o meio natural, pois, retirando dessa caixa um recurso específico, não se interfere na dinâmica da sua totalidade, ou seja, não haverá conseqüências em rede desse processo que envolve, simultaneamente, a evolução planetária e a própria organização do espaço geográfico, entre outras questões.

Por isso, para grande parte da sociedade ocidental, o meio natural nada mais é do que um objeto, uma mercadoria ou, melhor, uma possibilidade de lucro e de desenvolvimento. A natureza, assim, pode ser vista como um somatório de diferentes variáveis que, integradas, constituem a totalidade.

A própria geografia, sendo a ciência que observa a relação sociedade/natureza, em vários momentos reproduziu esse conceito. Vidal de La Blache, Richard Hartshorne, entre tantos outros, são exemplos claros dessa conduta clássica que, hoje, demonstra-se insuficiente para a compreensão do nosso planeta.

Essa geografia, ao pensar a totalidade como um simples somatório das partes, não verifica sua essência, seus fluxos, suas possibilidades. É por isso que o atual conceito de espaço geográfico não pode ser percebido por essa ilusão capitalista, pois a natureza, assim como o corpo humano, é um grande sistema interconectado e que jamais esquece seu potencial criativo. Sua criatividade liga-se ao surgimento de novas realidades ambientais que se manifestam como fruto de suas inter-relações sistêmicas, ou seja, cada elemento que constitui o conjunto natural é essencialmente um padrão interconectado dentro da totalidade; portanto, o todo em sua magnitude eternamente se reconstrói e cria novas realidades a partir de seu encontro quântico.

A dimensão ordem gerando progresso, que nasce dos compêndios newtonianos, é, assim, substituída pela lógica quântica da ordem, gerando a desordem, o que traz um novo patamar de organização das variáveis que constituem o conjunto.

Esse processo natural, que demonstra a interconectividade do meio natural, é a essência criativa e sistêmica que impulsiona as eternas mudanças planetárias, ou seja, como na natureza os elementos estão sempre interconectados, sua junção essencialmente trará novos patamares evolutivos.

Nesse sentido, cada dia é diferente do outro. Isso ocorre porque a dinâmica sistêmica que envolve relações planetárias, em virtude de sua complexidade, exibe respostas também complexas a partir de como se estruturam seus fluxos de energia e matéria. São esses fluxos que, rompendo com a análise estática ligada ao espaço absoluto newtoniano, possibilitam as possíveis mudanças.

A mudança das paisagens é, portanto, a essência da mutabilidade que interfere na dinâmica planetária, alterando e recriando sua relação espaço-temporal. À medida que uma paisagem se reestrutura, sua nova configuração espacial transporta-a para uma nova organização de relações, em que os fluxos sistêmicos irão dimensionar um novo patamar de vetores tanto interna como externamente.

Como a dinâmica do espaço geográfico efetiva constantes mudanças nos lugares, logo cada nova paisagem torna-se um novo patamar de complexidade, remetendo as formas geográficas a novos conteúdos. A cada nova reestruturação da paisagem e, logicamente, a cada novo reordenamento do espaço geográfico, novas possibilidades sistêmicas ocorrem.

Dessa forma, como cada subsistema é um padrão de organização que interpõe diferentes variáveis, eles podem encontrar estados de resistência, resiliência ou o rompimento total com o antigo padrão de organização.

A manutenção dos padrões deve-se aos estados de resistência e resiliência, que ocorrem quando o subsistema, que sofre ação de energia e matéria de outros sistemas e de seu próprio interior, não muda suas estruturas internas a ponto de perder sua organização.

Porém, quando o fluxo ocorre, a partir de reações complexas, em escala que dinamize o sistema levando-o a romper com seu antigo padrão, emerge então um novo conjunto de organização de suas estruturas internas. Assim, a evolução do padrão acompanha a flecha do tempo em totalização, e uma nova totalidade surge.

Essa mutabilidade sistêmica pode ocorrer em diferentes potencialidades, que vão da pequena à grande escala, como ocorreu com algumas das grandes mudanças planetárias.

Nas escalas pequenas, a análise pode se dimensionar pelas formas-conteúdos que caracterizam cada região ou lugar geográfico, pois cada forma reproduz o que seu conteúdo interno possui e, dialeticamente, os conteúdos são também fruto de suas formas.

A ação da sociedade influi diretamente na maneira como se estrutura o conteúdo interno das formas geográficas. Desse modo, cada forma reproduz essa essência ordenando suas estruturas. É assim que o meio técnico e seus processos tecnológicos são a essência da forma como uma região interfere na organização sistêmica ambiental, podendo influir no clima, por exemplo.

Uma região que possua relações desarmônicas com seu meio natural, ou pelos seus fluxos internos, ou pelos processos externos, tende a gerar relações que mudem sua ordem a partir de desestruturações constantes.

O que pensávamos como desarmonia e que nos levava a remeter à idéia de desequilíbrio ambiental, em verdade, observa o mesmo mecanismo dos processos que supostamente estão harmônicos, pois os fluxos internos do sistema apenas buscam um novo perfil de equilíbrio em sua nova dinâmica.

A busca do equilíbrio dinâmico é, assim, a essência natural dos sistemas, que se acomodam às suas variáveis internas e aos seus fluxos externos.

O meio técnico, entre outros fatores, dispõe-se de maneira a reestruturar o espaço-tempo de acordo com sua magnitude. É por isso que regiões que possuam modelos técnicos mais harmonizados com seu meio natural tendem a contribuir menos para a geração de fluxos que provoquem desordem.

É nesse sentido que cada lugar, sendo pensado como um subsistema, representa-se como um conjunto de variáveis que dão vida a essa região, onde, dependendo de cada estágio técnico, ocorrerá também uma organização do espaço geográfico específica, que se atrela ao modo como se dinamiza o tempo local.

Cada subsistema é, assim, uma totalidade com características espaço-temporais próprias, em que a sociedade e a natureza constituem uma só dinâmica, devido à sua inerente interconectividade. Dessa maneira, a contribuição de cada forma geográfica irá remeter cada subsistema ao grande sistema Terra, e, em sua dialética, à medida que o tempo globalizado efetivar seus mecanismos pelo planeta, novas dinâmicas planetárias também poderão influir em cada subsistema envolvido.

Assim, buscar organizar cada subsistema, ou região, por meio de modelos técnicos mais harmônicos em relação à natureza, significa redefinir o tempo em que a flecha prigoginiana movimenta as estruturas internas de cada sistema, redefinindo as formas-conteúdo. As mudanças, dessa maneira, se refletirão diretamente no processo evolutivo, que busca no equilíbrio dinâmico sua melhor composição de ordenamento.

A energia solar, que, por exemplo, evita que toneladas de gás carbônico sejam despejadas na atmosfera, o uso de técnicas populares no manejo da biodiversidade, a utilização de biodigestores, a substituição de combustíveis fósseis por composições energéticas ambientalmente aceitáveis devem recompor parte das novas políticas públicas de ordenamento territorial.

E, além dessa busca técnica, repensar a organização do espaço geográfico requer, acima de tudo, não priorizar a análise das partes, mas sim a totalidade. A revisão das formas geográficas, ao mesmo tempo que se reorganizam os seus conteúdos, significa repensar cada região e buscar soluções locais, a partir da potencialidade de cada lugar e de suas regiões vizinhas, partindo de fluxos de solidariedade espacial.

Pensar nas favelas e na redistribuição populacional dentro do Brasil, a partir das potencialidades que existem em cada lugar, significa impedir que haja deslocamentos populacionais provocados pela desestruturação ou pelo despreparo técnico e econômico que uma região possua.

É importante lembrar que os fluxos globalizados seguem em direção às regiões que importam ao mercado financeiro e aos investidores, sem levar em consideração qual é a sua população local, ou seja, a atual dinâmica econômica planetária tende cada vez mais a não se importar com as comunidades, mas apenas com o lucro que cada lugar pode gerar para os investidores mundiais.

É por isso que os processos mundiais respondem às funções das políticas econômicas ligadas ao grande mercado globalizado, que, efetivamente, garantem seus altos índices de rentabilidade e de lucratividade a partir da transformação do planeta em um grande mercado de capitais, em que cada lugar responde ao sistema econômico e produtivo de acordo com suas funções determinadas.

O lugar é, assim, muito mais do que uma área geográfica, passando a constituir-se em um objeto de reprodução do capital. Dessa forma, buscando contribuir com as necessidades mercadológicas, a região passa a ser um sistema específico e único. E é por isso que cada lugar interconecta-se com seu meio natural a partir de seu potencial técnico e tecnológico. A análise da configuração técnica de cada lugar passa, assim, a ser indispensável para se conhecer como cada região se relaciona com seu meio natural.

Porém, levando-se em conta que, em tempos de globalização, tanto o meio técnico como sua estrutura temporal tornam-se unos por todo o planeta, neste sentido, hoje, em cada recanto do planeta, o mesmo modelo técnico é encontrado, e seu tempo de produção também torna-se uno e empiricamente conhecido.

Como o modelo técnico capitalista iguala-se pelo globo, as respostas ambientais planetárias também reproduzem as características negativas desse modo de produção, e na construção de uma nova totalidade podem-se formar relações desarmônicas com os antigos padrões de organização.

Homem e natureza são um só, uma só dinâmica, uma só realidade, pois o homem faz parte do meio natural e, principalmente, é natureza. O atual padrão ecológico planetário é, então, uma conseqüência direta da evolução conjunta que a sociedade possui, dinamizando o seu ambiente e a si mesmo.

A organização do espaço geográfico torna-se, dessa forma, o elo entre a sociedade e sua dinâmica ambiental. Os homens em Wall Street e os poderosos em todos os cantos do planeta, ao imporem seus desejos financeiros a alguns cantos do globo, definem suas formas-conteúdo e a maneira como sua natureza é inserida no contexto globalizado.

Conseqüentemente, a evolução ecológica funciona atrelada a um grande mosaico de diferentes lugares que dirigem, ao acaso, a nave planetária. Cabe a cada região, assim, resgatar seu sentido ecológico para se retomar a harmonia entre homem e natureza. E continuar a luta na busca do *Feng Shui* geográfico.

Isso significa que cada comunidade global deve se envolver com seu meio natural a partir de sua criatividade e da sua adaptação aos potenciais ecológicos locais. Dessa forma, o meio técnico liga-se assim à arte, ou seja, à maneira como cada novo modelo pode se dimensionar – artisticamente – criativamente – para se ligar à vida planetária de modo mais harmônico.

Nossa conclusão pretende ser uma introdução que ruma ao novo milênio, repensando o homem-natureza em sua dimensão cultural, política e econômica. É assim que países como o Brasil, pela sua composição natural e social, podem repensar seu processo técnico a partir de suas potencialidades culturais e ecológicas, revendo o território, ou sua totalidade sistêmica, em grandes fluxos de solidariedade espacial.

Desse modo, repensar cada subsistema ou região geográfica e suas possibilidades é dinamizar a cultura e sua relação com o meio natural, fazendo de cada lugar um elo com a saúde pública, com o saneamento, com os recursos energéticos viáveis e com os modelos de desenvolvimento que não sacrifiquem sua vida e seu futuro.

221

BIBLIOGRAFIA

ABRAHAM, Ralph; McKENNA, Terence; SHELDRAKE, Rupert. *Caos, criatividade e o retorno do sagrado. Triálogo nas fronteiras do Ocidente.* São Paulo: Cultrix, 1992.

ALTVATER, Elmar. *O preço da riqueza.* São Paulo: Universidade Estadual Paulista, 1995.

ANDRADE, Manuel C. A geografia e a sociedade. *In:* SOUZA, M. Adélia (orgs.) *O novo mapa do mundo. Natureza e sociedade de hoje: uma leitura geográfica.* São Paulo: Hucitec, 1997, pp. 18-28.

AQUINO, Tomás de. O ente e a essência. *In: Tomás de Aquino.* São Paulo: Nova Cultural, 1996, pp. 3-33. (Coleção Os Pensadores).

ARISTÓTELES (384-322 a.c.) *Tópicos dos Argumentos Sofísticos/ Aristóteles.* São Paulo: Abril Cultural, 1978 (Coleção Os Pensadores).

ARNAULD, V. I. *Teoria da catástrofe.* Campinas: Unicamp, 1989.

ASIMOV, Isaac. *Cronologia de los descubrimientos: la historia de la ciencia y la tecnología al ritmo de los descubrimientos.* Barcelona: Ariel Ciencia, 1990.

ATLAN, Henri, *Entre o cristal e a fumaça: ensaios sobre a organização do ser vivo.* Rio de Janeiro: Jorge Zahar, 1992.

BACON, Francis (Viscount ST Albans 1561-1626). *Novum Organum: verdadeiras indicações acerca da interpretação da natureza. In: Bacon.* São Paulo: Nova Cultural, 1979, pp. 13-231 (Coleção Os Pensadores).

BAI-LIN, Hao. *Chaos.* Cingapura: World Scientific Publishing Co Pte Ltd, 1984.

BASTIAN, Olaf; RÖDER, Matthias. Assessment of landscape change by land evalution of past and present situation. *In:* CATENA. *An*

interdisciplinary journal of soil science-hidrology-geomorphology focousing on geoecology and landscape evolution. *Landscape and urban planning*. Elsevier, 1998, pp. 172-182.

BECKER, Bertha K.; EGLER, Cláudio A. G. *Brasil: uma nova potência na economia-mundo*. 2ª ed. Rio de Janeiro: Bertrand Brasil, 1994.

BENKO, Georges. *Economia, espaço e globalização: na aurora do século XXI*. 3ª ed. São Paulo: Hucitec, 2002.

BENNETT, R. J.; CHORLEY, R. J. *Environmental systems: philosophy, analysis and control*. Londres: Methuen, 1978.

BERGÉ, Pierre; POMEAU, Yves; DUBOIS-GANCE, Monique. *Dos ritmos ao caos*. São Paulo: Universidade Estadual Paulista, 1996.

BERNARDES, Júlia Adão; FERREIRA, Francisco P. Sociedade e natureza. *In:* CUNHA, Sandra Baptista; GUERRA, Antônio José (orgs.) *A questão ambiental.* Rio de Janeiro: Bertrand Brasil, 2003, pp. 17-41.

BERNARDES, Júlia Adão; MAVIGNIER, Teresa; SILVA, A. Alves. Algumas reflexões sobre o conceito de espaço e território. *In: Revista de Pós-Graduação em Geografia*. v. 1, ano 1. Rio de Janeiro: UFRJ/PPGG, 1997, pp. 148-155.

BERTALANFFY, Ludwig von. *Teoria geral dos sistemas*. Petrópolis: Vozes, 1968.

BIGARELLA, J. J.; MAZUCHOWSKI, J. *Visão integrada da problemática da erosão*. Curitiba: Associação Brasileira de Geologia e Engenharia, 1985.

BOFF, Leonardo. *Nova era: a civilização planetária*. São Paulo: Ática, 1994.

_____. *Ecologia: grito da terra, grito dos pobres*. São Paulo: Ática, 1995.

BOHM, David. *A totalidade e a ordem implicada: uma nova percepção da realidade*. 10ª ed. São Paulo: Cultrix, 1980.

BOWEN, Margarita. The ecology of knowledge: linking the natural and social sciences. *In: Geoforum: special issue: links between the natural and social sciences*. Oxford-Nova York-Frankfurt: Pergamon Press. v. 16, n. 2, pp. 213-225.

BRUNSDEN, D.; THORNES, J. B. Landscape sensitivity and change. *In: Transactions of the Institute of British Geographers*, n.º 4, 1979, pp. 463-484.

BRYAN, Rorke B. Knickpoint evolution in rillwash. *In: Catena Supplement*, n. 17, 1990, pp. 111-132.

BACELAR, Tânia. Dinâmica regional brasileira nos anos 90. *In:* CASTRO (org.) *et al. Redescobrindo o Brasil 500 anos depois.* Rio de Janeiro: Bertrand Brasil, 1999, pp. 73-89.

BATISTA, Paulo N. *et. al.* (1994). *Em defesa do interesse nacional.* Rio de Janeiro: Paz e Terra, 1994.

BRAUDEL, Fernand. *As estruturas do cotidiano: civilização material, economia e capitalismo dos séculos XV-XVIII.* São Paulo: Martins Fontes, 1997.

CAMARGO, Luís Henrique Ramos de. *O tempo, o caos e a criatividade ambiental: uma análise em ecologia profunda da natureza auto-organizadora.* Rio de Janeiro: Unesa, 1999 (Dissertação de Mestrado).

_____. Análise da relação sociedade e natureza e sua influência na ciência geográfica. *In: Revista Sociedade e Natureza*, v. 12, nº 23. Uberlândia: Universidade Federal de Uberlândia, Instituto de Geografia/EDUFU, 2000, pp. 147-166.

_____. *A geografia da complexidade: o encontro transdisciplinar entre a sociedade e a natureza.* Rio de Janeiro: UFRJ/PPGG, 2002 (Tese de Doutorado).

_____. Geografia, epistemologia e método da complexidade. *In: Revista Sociedade e Natureza*, v. 14 e 15, n.os 26-29, Uberlândia: Universidade Federal de Uberlândia. Instituto de Geografia/ Edufu, 2003, pp 133-150.

CAMARGO, Luís Henrique Ramos de; GUERRA, A. J. T. Criticalidade auto-organizada (CAO) e caos em escoamento superficial: revisão conceitual e aplicação à geomorfologia. *In: Revista de Pós-Graduação em Geografia.* Rio de Janeiro: UFRJ/PPGG, 2000, pp. 56-67.

CAPEL, Horácio. *Filosofía y ciencia en la geografía contemporánea* Barcelona: Barcanova, 1988.

CAPRA, Fritjof. *O ponto de mutação: a ciência, a sociedade e a cultura emergente.* São Paulo: Cultrix, 1982.

_____. *O tao da física: um paralelo entre a física moderna e o misticismo oriental.* São Paulo: Cultrix, 1983.

CAPRA Fritjof. *A teia da vida: uma nova compreensão científica dos sistemas vivos*. São Paulo: Cultrix/Amana Key, 1996.

CAPRA, Fritjof; STEINDL-RAST, David. *Pertencendo ao universo: exploração nas fronteiras da ciência e da espiritualidade*. São Paulo: Cultrix/Amana Key, 1991.

CARVALHO, Edgard de Assis. Complexidade e ética planetária. *In:* PENA-VEJA, Alfredo; NASCIMENTO, E. P. (orgs.). *O pensar complexo: Edgard Morin e a crise da modernidade*. Rio de Janeiro: Garamond, 1999, pp. 107-118.

CASSETI, Valter. *Ambiente e apropriação do relevo*. São Paulo: Contexto, 1991.

_____. *Elementos de geomorfologia*. Goiânia: UFG, 1994.

CASINI, Paolo. *Newton e a consciência européia*. São Paulo: Universidade Estadual Paulista, 1995.

CASTELLS, Manuel. *A sociedade em rede. A era da informação: economia, sociedade e cultura*. v. 1. São Paulo: Paz e Terra, 1999.

_____. *O poder da identidade. A era da informação: economia, sociedade e cultura*. v. 2. São Paulo: Paz e Terra, 2002.

CASTRO, Iná E. Imaginário político e território: natureza, regionalismo e representação. *In:* CASTRO (org.) *et al. Explorações geográficas: percursos no fim do século*. Rio de Janeiro: Bertrand Brasil, 1997a, pp. 155-196.

CHAUÍ, Marilena. *Convite à filosofia*. São Paulo: Ática, 1994.

CHRISTOFOLETTI, A. *Geomorfologia*. São Paulo: Edgard Blücher, 1980.

_____. *Modelagem de sistemas ambientais*. São Paulo: Edgard Blücher, 1999.

CLAVAL, Paul. *A geografia cultural*. Florianópolis: UFSC, 1999.

COELHO, Maria Célia; CUNHA, Luiz Henrique da. *In:* CUNHA, Sandra Baptista da; GUERRA, Antônio José (orgs.) *A questão ambiental*. Rio de Janeiro: Bertrand Brasil, 2003, pp. 43-76.

COMTE, August. *Augusto Comte*. São Paulo: Nova Cultural, 1996. (Coleção Os Pensadores).

CORRÊA, Roberto Lobato. Espaço, um conceito-chave da geografia. *In:* CASTRO, Iná E. (org.) *Geografia: conceitos e temas*. Rio de Janeiro: Bertrand Brasil, 2000, pp. 15-48.

CORRÊA, Roberto Lobato. *Região e organização espacial.* São Paulo: Ática, 2002.

DAUPHINÉ, André. Ordre et chaos en géographie physique. *In: L'Espace géographique,* 1991, pp. 65-78.

_____ ____. *Chaos, fractales et dynamiques en géographie.* Paris: Reclus, 1995.

DAVIES, Paul. *O enigma do tempo: a revolução iniciada por Einstein.* Rio de Janeiro: Ediouro, 1999.

DESCARTES, René. O discurso do método. *In: Descartes.* 4ª ed. São Paulo: Nova Cultural, 1987, pp. 25-71 (Coleção Os Pensadores).

DEUS, Jorge Dias. *A crítica da ciência: sociologia e ideologia na ciência.* Rio de Janeiro: Jorge Zahar, 1979.

DICKENS, Peters. *Reconstructing nature: alienation, emancipation and the division of labour.* Londres – Nova York: Routledge, 1996.

DOLFFUS, O. Geopolítica do sistema-mundo. *In: SANTOS et al. Fim de século e globalização.* São Paulo: Hucitec, 1994, pp. 23-45.

DREW, David. *Processos interativos-homem-meio ambiente.* 3ª ed. Rio de Janeiro: Bertrand Brasil, 1994.

DRUCKMAN, Daniel *et al. Mudanças e agressões ao meio ambiente.* São Paulo: Mackron Books, 1993.

ECOGUIA. Lisboa: Ecossistema, 1993.

EINSTEIN, Albert. *Como vejo o mundo.* Rio de Janeiro: Nova Fronteira, 1981.

ELIADE, Mircea. *O conhecimento sagrado de todas as eras.* São Paulo: Mercuryo, 1995.

ENGERLS, Friedrich. *A dialética da natureza.* Rio de Janeiro: Paz e Terra, 1979.

FAVIS-MORTLOCK, D. A self-organizing dynamic system approach to the simulation of rill initiation and development on hillslopes. *In: Computers & geociences,* Leeds, v. 24, nº 4, pp. 353-372.

FAVIS-MORTLOCK, D.; DE BOER, D. Simple at heart? Landscape as a self-organizing complex systems. *In: TRUDGILL, S. T.; ROY, A.; KIRKBRIDGE, A. (eds.) Contemporary meaning in physical geography.* Londres: Edward Arnould.

FERRY, Luc. *A nova ordem ecológica: a árvore, o animal, o homem.* São Paulo: Ensaio, 1994.

FIEDLER-FERRARA, Nelson; PRADO, Carmem P. Cintra. *Caos: uma introdução.* São Paulo: ABDR, 1995.

FURTADO, Celso. *Formação econômica do Brasil.* 20ª ed. São Paulo: Nacional, 1985.

GEORGE, Pierre. *O meio ambiente.* São Paulo: Difusão Européia do Livro, 1973.

GEORGE, Pierre *et al. A geografia ativa.* São Paulo: Difusão Européia do Livro, 1973b.

GLEICK, James. *Caos: a criação de uma nova ciência.* 8ª ed. Rio de Janeiro: Campus, 1989.

GOMES, Marcelo A. F. Criticalidade auto-organizada. *In:* NUSSENZ-VEIG, H. M. *Complexidade & caos.* Rio de Janeiro: UFRJ/COPEA, 1999, pp. 99-110.

GOMES, Paulo César da Costa. O conceito de região e sua discussão. *In:* CASTRO, Iná E. *et al.: Geografia: conceitos e temas.* Rio de Janeiro: Bertrand Brasil, 2000, pp. 49-76.

GONÇALVES, Carlos Walter P. *Os (des)caminhos do meio ambiente.* São Paulo: Contexto, 1989.

GREENE, Brian. *O universo elegante: supercordas, dimensões ocultas e a busca da teoria definitiva.* São Paulo: Companhia das Letras, 2001.

GREGORY, K. J. *A natureza da geografia física.* Rio de Janeiro: Bertrand Brasil, 1992.

GUATARRI, Félix. *As três ecologias.* Campinas: Papirus, 1990.

GUELKE, Leonard. On the role of evidence in physical and human geography. *In: Geoforum: special issue: links between the natural and social sciences.* Oxford – Nova York – Frankfurt: Pergamon Press. v. 16, nº 2, pp. 131-137.

GUERRA, Antônio Teixeira; GUERRA, Antônio José Teixeira. *Novo dicionário geológico-geomorfológico.* São Paulo: Bertrand Brasil, 1997.

GUIMARÃES, Samuel Pinheiro. *Quinhentos anos de periferia: uma contribuição ao estudo da política internacional.* 4ª ed. Porto

Alegre: UFRGS – Rio de Janeiro: Contraponto, 2002. 166 p. (Coleção Relações Internacionais e Integração).

HAESBAERT, Rogério. *Territórios alternativos*. Niterói: Eduff – São Paulo: Contexto, 2002.

HAIGH, Martin J. Geography and general system theory. Philosophical homologies and current pratice. *In: Geoforum: special issue: links between the natural and social sciences*. Oxford – Nova York – Frankfurt: Pergamon Press. v. 16, n° 2, pp. 191-203.

HARVEY, David. *Condição pós-moderna*. São Paulo: Loyola, 1989.

HAWKING, Stephen. *Uma breve história do tempo: do Big Bang aos buracos negros*. São Paulo: Círculo do Livro, 1988.

_____. *O universo numa casca de noz*. São Paulo: Mandarim, 2001.

HEISENBERG, Werner. *A parte e o todo: encontros e conversas sobre física, filosofia, religião e política*. Rio de Janeiro: Contraponto, 1996.

HOEFLE, S. W. Cultura na história do Ocidente. *In:* GUERRA, A. J. T.; RIO, G. A. P. (eds.) *Revista de Pós-Graduação em Geografia*. Rio de Janeiro: UFRJ, 1998, pp. 6-29.

HORKHEIMER, M. *Eclipse da razão*. Rio de Janeiro: Labor, 1976.

HUBERMAN, Leo. *História da riqueza do homem*. Rio de Janeiro: Guanabara Koogan, 1986.

HUME, David. *A treatrise of human nature*. Oxford: Clarendon Press, 1946.

HUMPHREYS, Christmas. *O budismo e o caminho da vida*. 10ª ed. São Paulo: Cultrix, 1969.

IANNI, Otávio. Nação e globalização. *In:* SANTOS *et al. Fim de século e globalização*. São Paulo: Hucitec, 1994, pp. 66-74.

_____. *Teorias da globalização*. Rio de Janeiro: Civilização Brasileira, 1995.

JORNAL DO BRASIL. A ciência diz: aumenta o calor. Rio de Janeiro, 1997. Caderno Fortune Americas, pp. 1-6.

KANT, Immanuel. Crítica da razão pura. *In: Kant*. São Paulo: Nova Cultural, 1999 (Coleção Os Pensadores).

KAREL, Kosik. *Dialética do concreto*. 2ª ed. São Paulo: Paz e Terra, 1976.

KHUN, Thomas. *A estrutura das revoluções científicas*. 5ª ed. São Paulo: Perspectiva, 1970.

LATOUCHE, Serge. *A ocidentalização do mundo: ensaio sobre a significação e os limites da uniformização planetária*. Petrópolis: Vozes, 1994.

LENOBLE, Robert. *História da idéia de natureza*. Lisboa: Edições 70, 1969.

LORENZ, Edward N. *A essência do caos*. Brasília: Universidade de Brasília, 1996.

LOVELOCK. James. Gaia: um modelo para a dinâmica planetária e celular. *In:* THOMPSON W. I. (org.) *Gaia, uma teoria do conhecimento*. São Paulo: Gaia, 1990, pp. 77-90.

LÖWI, Michel. *Ideologias e ciência social: elementos para uma análise marxista*. 15ª ed. São Paulo: Cortez, 2002.

MACIEL, Jarbas. *Elementos da teoria geral dos sistemas: a ciência que está revolucionando a administração e o planejamento na área do governo, nos negócios, na indústria e na solução dos problemas humanos*. Petrópolis: Vozes, 1974.

MARTINE, George. (org.) *População, desenvolvimento e meio ambiente: verdades e contradições*. 2ª ed. Campinas: Unicamp, 1996.

MASSEY, Doreen. Space-time, "science" and the relationship between physical geography and human geography. *In: Royal Geographical Society Bol*. Londres: The Institute of British Geographers, jun. 1999, pp. 261-275.

McKIBBEN, Bill. *O fim da natureza*. Rio de Janeiro: Nova Fronteira, 1990.

McCOMICK, John. *The global movement*. Chischester – Nova York – Brisbane – Toronto – Cingapura: John Wiley & Sons, 1995.

MENDONÇA, Francisco. *Geografia física: ciência humana*. São Paulo: Contexto, 1998.

MERCHANT, C. *Radical ecology*. Londres: Routledge, 1992.

MORAES, Antônio R. *Geografia. Pequena história crítica*. São Paulo: Hucitec, 1997.

MOREIRA, Ruy. Geografia, ecologia, ideologia: a "totalidade homem-meio" hoje. Espaço e processo de trabalho. *In:* MOREIRA,

Ruy (org.) *Geografia: teoria e crítica*. Petrópolis: Vozes, 1982, pp. 197-214.

MOREIRA, RUY. *O círculo e a espiral*. Rio de Janeiro: Obra Aberta, 1993.

MORIN, Edgard. *O método I: a natureza da natureza*. Portugal: Publicações Europa-América, 1997.

_____. *Ciência com consciência*. Rio de Janeiro: Bertrand Brasil, 1998.

MORIN, Edgard; MOIGNE, Jean-Louis. *A inteligência da complexidade*. São Paulo: Ed. Fundação Petrópolis, 2000.

MOURÃO, Ronaldo R. de Freitas. *Ecologia cósmica*. Rio de Janeiro: Francisco Alves, 1992.

NAISBITT, John. *Paradoxo global*. Rio de Janeiro: Campus, 1999.

NEGRI, Antônio. *Império*. Rio de Janeiro: Record, 1999.

_____. *O poder constituinte: ensaio sobre as alternativas da modernidade*. Rio de Janeiro: DP&A, 2002.

NEWTON, Isaac. Princípios matemáticos da filosofia natural. *In: Newton-Galileu*. São Paulo: Nova Cultural, 1987, pp. 149-170. (Coleção Os Pensadores).

NISBET, Robert. *História da idéia de progresso*. Brasília: Universidade de Brasília, 1985.

NUSSENZVEIG, H. M. Introdução à complexidade. *In:* (org.). *Complexidade & caos*. Rio de Janeiro: Ed. UFRJ/COPEA, 1999, pp. 9-17.

PALIS, J. Sistemas caóticos e sistemas complexos. *In:* NUSSENZVEIG, H. M. *Complexidade & caos*. Rio de Janeiro: Ed. UFRJ/COPEA, 1999, pp. 22-38.

PEAT, F. David *et al. A sabedoria do caos: sete lições que vão mudar sua vida*. Rio de Janeiro: Campus, 2000.

PESSIS-PASTERNAK, Guita. (org.) *Do caos à inteligência artificial: quando os cientistas se interrogam*. São Paulo: Universidade Estadual Paulista, 1993.

PEPPER, D. *The roots of modern environmentalism*. Londres: Croom Helm, 1984.

_____. *Modern enviromentalism: an introduction*. Londres – Nova York: Routledge, 1996.

233

PESSOA, Vera L. S. Desenvolvimento sustentável: desafios na questão ecológica, econômica e social da grande empresa rural no Brasil. *In:* CASTRO, I. E. (org.) *et al. Redescobrindo o Brasil: 500 anos depois.* Rio de Janeiro: Bertrand Brasil, FAPERJ, 1999, pp. 241-250.

PORTUGAL, Juval. Between nature and society: an introduction. *In: Geoforum: special issue: links between the natural and social sciences.* Oxford – Nova York – Frankfurt: Pergamon Press, 1985a, v. 16, n.º 2, p. 93-98.

_____. Parallel current in the natural and social sciences. *In: Geoforum: special issue: links between the natural and social sciences.* Oxford; Nova York; Frankfurt: Pergamon Press, 1985b. v. 16, n.º 2, pp. 227-237.

PRIGOGINE, Ilya. *Les lois du chaos.* Paris: Champs – Flammarion, 1993.

_____. *O fim das certezas: tempo, caos e as leis da natureza.* São Paulo: Unesp, 1996.

PRIGOGINE, Ilya; STENGERLS, Isabelle. *Order out of chaos: man's new dialogue with nature.* Nova York: Bantom Books, 1984.

_____. *A nova aliança: metamorfose da ciência.* Brasília: UnB, 1997.

RATZEL, Friedrich. Geografia do homem (antropogeografia). *In:* MORAES, Antônio C. R. São Paulo: Ática, 1990, pp. 32-107.

RAY, Christopher. *Tempo, espaço e filosofia.* Campinas: Papirus, 1993.

ROSSET, Clément. *A antinatureza: elementos para uma filosofia trágica.* Rio de Janeiro: Espaço-Tempo, 1989.

ROSSI, Paolo. *Os filósofos e as máquinas – 1400-1700.* São Paulo: Companhia das Letras, 1989.

RUELLE, David. *Acaso e caos.* São Paulo: Universidade Estadual Paulista, 1993 (Coleção Biblioteca Básica).

RUSSELL, Peter. *O despertar da Terra: o cérebro global.* 10.ª ed. São Paulo: Cultrix, 1982.

SACHS, Ignacy. *Estratégias para a transição para o século XXI: desenvolvimento e meio ambiente.* São Paulo: Studio Nobel – Fundação do Desenvolvimento Administrativo, 1993.

SALEM, Lione. *Dicionário das ciências*. Campinas: Universidade Estadual de Campinas, 1995.

SALGADO-LABOURIAU, Maria Léa. *História ecológica da Terra*. São Paulo: Edgard Blücher, 1994.

SANTOS, Thenório. A política e o imperativo tecnológico. *In:* BECKER, Bertha; MIRANDA, Mariana. (orgs.) *A geografia política do desenvolvimento sustentável*. Rio de Janeiro: UFRJ, 1997, pp. 55- 62.

SANTOS, Milton. *Por uma geografia nova: da crítica da geografia a uma geografia crítica*. São Paulo: Hucitec, 1978.

_____. *A metamorfose do espaço habitado: fundamentos teóricos da geografia*. São Paulo: Hucitec, 1991.

_____. *A urbanização brasileira*. São Paulo: Hucitec, 1993.

_____. *Espaço & método*. São Paulo: Nobel, 1997b.

_____. *Pensando o espaço do homem*. São Paulo: Hucitec, 1997c.

_____. A aceleração contemporânea: tempo, mundo e espaço mundo. *In:* SANTOS *et. al. Fim de século e globalização*. São Paulo: Hucitec, 1994, pp. 15-22.

_____. *A natureza do espaço: técnica e tempo, razão e emoção*. São Paulo: Hucitec, 1997a.

_____. *Técnica, espaço, tempo: globalização e meio técnico-científico informacional*. São Paulo: Hucitec, 1998.

_____. *O espaço do cidadão*. 3.ª ed. São Paulo: Studio Nobel, 2000.

_____. *Por uma outra globalização: do pensamento único à consciência universal*. Rio de Janeiro: Record, 2000.

_____. *Economia espacial: crítica e alternativas*. 2.ª ed. São Paulo: Universidade de São Paulo, 2003 (Coleção Milton Santos, 3).

SANTOS, Milton *et al. Brasil: território e sociedade no início do século XXI*. Rio de Janeiro: Record, 2001.

SAUER, Carl O. A morfologia da paisagem. *In:* CORRÊA, R. L.; ROSENDHAL, Zeny. *Paisagem, tempo e cultura*. Rio de Janeiro: Uerj, 1998, pp. 12-74.

SAYER, Andrew. Qualitative change in human geography. *In: Geoforum: special issue: links between the natural and social sciences*. Oxford – Nova York – Frankfurt: Pergamon Press, 1979, v. 10, n.º 1, pp. 19-44.

SCHAEFER, F. O excepcionalismo na geografia: um estudo metodológico. *In: Revista de Geografia Teorética*, v. 7, n.º 13. Rio Claro: Unesp, 1977.

SCHIMIDT, Alfred. *El concepto de naturaleza en Marx*. Madri: Siglo XXI, 1991.

SCHNEIDER, Stephen H. *Laboratório Terra: o jogo planetário que não podemos nos dar ao luxo de perder*. Rio de Janeiro: Rocco, 1998.

SHELDRAKE, Rupert. *O renascimento da natureza: o reflorescimento da ciência e de Deus*. 10ª ed. São Paulo: Cultrix, 1991.

SILVA, J. Graziane. *A modernização dolorosa: estrutura agrária, fronteira agrícola e trabalhadores rurais no Brasil*. Rio de Janeiro: Jorge Zahar, 1982.

_____. *A nova dinâmica da agricultura brasileira*. São Paulo: Unicamp, 1996.

SILVERSTEIN, Michael. *A revolução ambiental: como a economia poderá florescer e a Terra sobreviver no maior desafio da virada do século*. Rio de Janeiro: Nórdica, 1993.

SIMMONS, I. G. *Interpreting nature: cultural constructions of the environment*. Londres; Nova York, 1993.

SOJA, Edward W. *Geografias pós-modernas: a reafirmação do espaço na teoria social*. Rio de Janeiro: Jorge Zahar, 1993.

MEGALE, Januário Francisco. *Maximiliem Sorre*. São Paulo: Ática, 1984.

SOUZA, Marcelo Lopes. *ABC do desenvolvimento urbano*. Rio de Janeiro: Bertrand Brasil, 2002.

_____. *Mudar a cidade: uma introdução crítica ao planejamento e à gestão urbana*. 2ª ed. Rio de Janeiro: Bertrand Brasil, 2003.

SOUZA SANTOS, Boaventura. *Introdução a uma ciência pós-moderna*. Rio de Janeiro: Graal, 1989.

STEWART, Ian. *Será que Deus joga dados? A nova matemática do caos*. Rio de Janeiro: Jorge Zahar, 1991.

SZAMOSI, Géza. *Tempo & espaço: as duas dimensões gêmeas*. Rio de Janeiro: Jorge Zahar, 1988.

TAVARES, Antônio Carlos. Mudanças climáticas. *In:* VITTE, A. C. (org.) *Reflexões sobre a geografia física no Brasil*. Rio de Janeiro: Bertrand Brasil, 2004, pp. 49-85.

THOM, René. *Paraboles et catastrophes*. Paris: Flammarion, 1980.

TUAN, Yu-Fu. *Topofilia: um estudo da percepção, atitudes e valores do meio ambiente*. São Paulo: Difel, 1980.

TURCOTTE, D. L. *Fractals and chaos in geology and geophysics*. Cambridge: Cambridge University Press, 1991.

VESENTINI, J. W. *Geografia, natureza e sociedade*. São Paulo: Contexto, 1989.

_____. *Novas geopolíticas: as representações do século XXI*. São Paulo: Contexto, 2003.

VIOLA, Eduardo. O movimento ecológico no Brasil (1974-1986): do ambientalismo à ecopolítica. *In:* VIOLA, J. A.; PÁDUA, José Augusto. (orgs.) *Ecologia & política no Brasil*. Rio de Janeiro: Iuperj, 1987, pp. 63-110.

VOLTAIRE. *Elementos da filosofia de Newton*. Campinas: Unicamp, 1996.

WARD, Peter. *O fim da evolução: extinções em massa e a preservação da biodiversidade*. Rio de Janeiro: Campus, 1997.

WEBER, Renée. (org.) *Diálogo com cientistas e sábios: a busca da unidade*. São Paulo: Cultrix, 1986.

WILHELM, Richard. (trad.) *I Ching: o livro das mutações*. 14ª ed. São Paulo: Cultrix, 1956.

ZOHAR, Danah. *O ser quântico: uma visão revolucionária da natureza humana e da consciência baseada na nova física*. 7ª ed. São Paulo: Best Seller, 1990.

Impresso no Brasil pelo
Sistema Cameron da Divisão Gráfica da
DISTRIBUIDORA RECORD DE SERVIÇOS DE IMPRENSA S.A.
ıa Argentina 171 – Rio de Janeiro, RJ – 20921-380 – Tel.: 2585-2000